C000140134

Transformers

a cura di **edited by**
Hou Hanru e **and** Anne Palopoli

 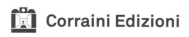

indice   index

Prefazione   Preface

Giovanna Melandri

Presidente   *President* Fondazione MAXXI

Un grande fiore di loto che "respira", un'orchestra composta da vecchie armi in disuso, sedie realizzate con tessuti fatti a mano e un'enorme boa che evoca il dramma dell'immigrazione: con la mostra *Transformers*, a cura di Hou Hanru e Anne Palopoli, il MAXXI disegna un mondo visionario in cui non esiste un'unica realtà; un mondo dove tutto è possibile. A cavallo tra arte e design, le opere di Choi Jeong Hwa, Martino Gamper, Pedro Reyes e Didier Fiuza Faustino, provenienti da quattro paesi diversi e lontani tra loro, stimolano i visitatori a partecipare attivamente alla mostra per vivere in modo nuovo e non convenzionale gli spazi del museo. Gli artisti selezionati disegnano un mondo fluido, in continua trasformazione, in cui il gioco convive con l'impegno politico, il caos con l'armonia e la realtà con l'immaginazione. È il caso di *Disarm* (2012), l'orchestra meccanica di Pedro Reyes che utilizza armi in disuso dell'esercito messicano per riflettere sul tema della violenza e del contrabbando, ma anche di *Body in Transit* (2000), la cassa per trasportare migranti clandestini, concepita ironicamente da Didier Fiuza Faustino come un oggetto di "design". Questo sguardo disincantato nei confronti della realtà esterna caratterizza gli artisti in mostra dando vita ad accostamenti che emozionano e stupiscono.

Il pubblico crea, con il suo intervento, delle opere d'arte in dialogo con gli spazi futuristici del MAXXI diventando così il protagonista principale della mostra. E infatti le sedie di Martino Gamper sono a disposizione dei visitatori e le installazioni dell'artista Choi Jeong Hwa possono essere attraversate e modificate.

In questo universo fluido, abitato da orchestre di armi e foreste di plastica costituite da oggetti recuperati da discariche, tutto è possibile, perché il banale diventa straordinario e come afferma lo stesso Choi Jeong Hwa, "la mia arte comincia nel momento in cui queste immagini insolite ti aprono la mente". La stimolante interdisciplinarità di *Transformers* rispecchia a pieno la mission del nostro museo che in questi anni si sta configurando come un vero e proprio campus della cultura, un laboratorio che affianca mostre, eventi, concerti, dibattiti e incontri, per un pubblico sempre più ampio che parla il linguaggio comune della contemporaneità. Strumento essenziale per la comprensione della mostra è il catalogo che si connota come un libro da studiare, ma anche come un oggetto di design, da possedere e collezionare. Le sovracopertine dei libri si "trasformano" in quattro poster diversi, ognuno concepito da un artista, quattro mondi che si intersecano e si arricchiscono reciprocamente. Oltre alle testimonianze degli artisti e ai testi dei curatori e dei critici, abbiamo scelto di pubblicare un racconto inedito, scritto appositamente per questa occasione, un giallo dal titolo *L'incanto quotidiano* dello scrittore Hans Tuzzi.

L'universo visionario di *Transformers* rivive così nel catalogo, un progetto editoriale unico nel suo genere che celebra la dirompente creatività dei quattro artisti in mostra.

A large lotus flower that "breathes," an orchestra made up of old and abandoned weapons, chairs created from handmade fabrics, and an enormous boa that evokes the drama of immigration: in this exhibition called *Transformers*, curated by Hou Hanru and Anne Palopoli, MAXXI designs a visionary world in which there is no single reality. This is a world where everything is possible. Poised between art and design, the works by Choi Jeong Hwa, Martino Gamper, Pedro Reyes, and Didier Fiuza Faustino, who come from four different and distant countries, encourage visitors to take an active part in the exhibition, to experience the spaces in the museum in a new and unconventional way. The artists chosen design a fluid world, one that is constantly undergoing transformation, in which play thrives with political commitment, chaos with harmony, and reality with imagination. An example of this is *Disarm* (2012), Pedro Reyes's mechanical orchestra which uses weapons abandoned by the Mexican army to ponder the theme of violence and smuggling, but also *Body in Transit* (2000), a cargo container used to transport illegal immigrants, ironically conceived by Didier Fiuza Faustino as a "designer" object. This disenchanted gaze before the outside reality is what characterizes the works on display here, bringing to life combinations that are moving as well as astonishing.

By intervening the public plays a leading role in the exhibition, creating works of art that converse with MAXXI's futuristic spaces. Martino Gamper's chairs are available to visitors, and Choi Jeong Hwa's installations can be crossed and modified.

In this fluid universe, inhabited by orchestras of armies and forests of plastic brimming with recycled objects found in landfills, everything is possible, as the banal becomes extraordinary and, as Choi Jeong Hwa himself says: "My art begins when the unusual images open your mind." The stimulating interdisciplinary nature of *Transformers* fully reflects our museum's mission, which in recent years has begun to resemble more and more a campus of culture, a workshop alongside exhibitions, events, concerts, debates, and meetings, for an ever-growing public that speaks the common language of the contemporary age. An essential instrument for an understanding of the exhibition is the catalogue, which can be used as a reference text, but also as a designer object, to be owned and collected. The book jackets can be "transformed" into four different posters, each of which conceived by one of the artists, four worlds that intersect and enrich each other. In addition to the words of the artists and the curators' and critics' essays, we have also chosen to offer readers of the catalogue an unpublished story, a mystery called *The Daily Enchantment* which Hans Tuzzi has written specially for this occasion.

The visionary universe of *Transformers* thus relives in the catalogue, itself a publishing project that is unique in its kind, celebrating the exhilarating creativity of the four artists whose works are showcased here.

Hou Hanru

Direttore artistico   *Artistic Director* Fondazione MAXXI

Transformers

Transformers

1

La nostra epoca è piena di cambiamenti, addirittura mutazioni. Non solo la nostra percezione del mondo si sta spostando dalla "realtà analogica" alla "realtà virtuale", ma il mondo reale in cui viviamo si sta rapidamente trasformando in una nuova realtà, in cui analogo e virtuale si mescolano. Le espansioni di Internet e dei social media stanno sfocando e ridisegnando i confini tra noi, trasformando le diverse soggettività in "inter-soggettività". Nuove tecnologie di ingegneria biologica e intelligenza artificiale trasformano il modo in cui ci definiamo come esseri umani, la sostanza stessa della nostra vita. Si tratta di trasformazioni molto profonde. Queste tecnologie rischiano anche di alienare la definizione originale e le forme della vita.

La trasformazione è la parola chiave della nostra esistenza attuale. Il modo in cui viviamo e facciamo le cose sta trasformando la realtà del mondo. E tutti sono, in potenza e di fatto, transformers, trasformatori.

Per molti, è impossibile non essere affascinati e influenzati dalle immagini popolari della fantascienza, la forma popolare di "futurologia" o ideologia della trasformazione, soprattutto nelle sue incarnazioni in forma di romanzo, film, beni di consumo e persino giocattoli. La parola "Transformer" viene spesso associata agli omonimi robot-giocattolo giapponesi (Toransufōmā), e alle loro variazioni cinematografiche e fumettistiche. Questi giochi non sono solo capaci di trasformarsi da umanoidi in automobili e armi.

1

Transformers

In our time, many things are changing and even mutating. Not only our is our perception of the world moving from "analogue reality" towards "virtual reality." The real world in which we are living is now quickly transforming into a new reality mixed with the analogue and the virtual. Expansions of the Internet and social media are blurring and redrawing the boundaries between us, between different subjectivities and transforming them into "inter-subjectivities." New technologies of biological engineering and artificial intelligence are transforming the way that we define ourselves as human beings, the very substance of our life. These transformations are profound. They are also potentially alienating the original definition and forms of life.

Transformation is the keyword of our existence today. How we live and do things is transforming the reality of the world. And everyone is potentially and really a transformer.

For many, it's impossible not to be fascinated and influenced by the popular images of science fiction, the popular form of "futurology," or the ideology of transformation, especially its incarnations in novels, movies, popular consumer goods, and even toys. The notion of "Transformer" is often associated with the Japanese Robotic toys "Transformers (Toransufōmā)" and their movie and comic book variations. They are not only toys able to be transformed from humanoid to cars and weapons. More importantly, they are seen by many as representations of our own

La cosa più importante è che da molti sono visti come rappresentazioni delle nostre stesse metamorfosi possibili. Disegnati e animati in modo affascinante, sono profondamente incisi nei ricordi e nelle fantasie di quasi chiunque. Questo "design" non rappresenta solo un'innovazione tecnologica che spinge in avanti il potere della robotica, ma suggerisce una mutazione fondamentale dell'identità, in quanto mette in questione la definizione di vita e umanità nell'era in cui le nostre immaginazioni sono dominate dall'ossessione per il progresso tecnologico.

Qui, l'uomo è fuso con ciò che crea nella forma di un'estensione meccanica del corpo, e anche con l'invenzione della mente – l'intelligenza artificiale. Si tratta di un modo inaudito di ridefinire l'umanità, e ci porta verso un futuro ignoto. È una metafora significativa di una trasformazione di identità che porta in ultima analisi allo sfaldamento di ogni confine tra l'essere umano e il mondo. Punta verso un nuovo mondo in cui creature immaginate, disegnate e create dagli esseri umani rimpiazzeranno le vite "naturali".

Con la massiccia produzione e la vasta distribuzione delle immagini dei Transformers, e diverse altre variazioni sul tema dell'umanoide-macchina, che oggi sono diventate tanto più sofisticate e intimamente legate ai nostri corpi e alle nostre menti, questo futuro è già in qualche modo presente nella realtà attuale. I Transformers invadono la nostra vita quotidiana e il nostro stato mentale incitandoci a giocare con loro. Perseguitano i nostri desideri e i nostri sogni. Ridefiniscono le fantasie e le visioni del mondo delle giovani generazioni.

La nostra è anche un'epoca paradossale e addirittura schizofrenica: a causa del prevalere di questo genere di trasformazioni, tutte le discipline diventano estremamente professionalizzate e raffinate. Nel contesto dell'odierno capitalismo transnazionale, vengono subito convertite in strumenti di profitto e, al tempo stesso, oggetti di consumo. Nel frattempo, la società mostra una divisione senza precedenti tra una minoranza ricca e potente e una maggioranza povera e impotente. Anche per questo le innovazioni stanno raggiungendo il loro limite. La democrazia è minacciata: ci troviamo di fronte a una nuova forma di alienazione dell'umanità. Si impone una rivoluzione, in termini di tecnologia e concetto, di materia e filosofia, e dunque di economia e politica. È ovvio che il design e le rappresentazioni artistiche hanno

Hou Hanru

Hou Hanru

possible metamorphoses. They are fascinatingly designed and animated. They are profoundly imprinted in the memories and imaginations of almost everyone's brain. This "design" does not only represent a technological innovation that puts forward the power of the robotic. It also suggests a fundamental mutation of identity, questioning and defying the definition of humanity and life in the age in which our imaginations are dominated by the obsession with technological progress.

Here, man is merged with what he creates in the form of a mechanical extension of the body, and even an invention of the mind – artificial intelligence. It's an unseen way to redefine humanity. It leads towards an unknown future. This is a significant metaphor of an identity transformation that leads to the ultimate breaking-down of all boundaries between humans and the world. It points to a new world in which creatures imagined, designed and created by humans will replace "natural" lives.

With massive production and wide distribution of the images of the Transformers, and numerous other variations of humanoid-machines, which, today, have become much more sophisticated and intimately related to our bodies and minds, this future is already somewhat present in the current reality. They are invading our everyday life and state of mind by inciting us to play with them. They are haunting our desires and dreams. They are redefining generations of young people's fantasies and visions of the world.

This is also a paradoxical and even schizophrenic time: because of the prevalence of these types of transformations, all disciplines are being extremely professionalized and refined. In the context of today's trans-national capitalism, they are quickly turned into profit-making tools and, at the same time, objects of consumption. Along with it, the society is unprecedentedly divided into a rich and powerful minority and a poor and powerless majority. Moreover, because of this innovations are reaching their limits. Democracy is facing major threats. We are facing a new form of alienation of humanity. A revolution, in terms of technology and concept, of material and philosophy, hence, of economics and politics, is needed. Obviously, design and artistic representations have been playing a crucial role in the making of this transformation. Designers and artists are transformers.

Didier Fiuza Faustino, *Love me Tender*, 2000, © ADAGP, courtesy l'artista e Galerie Michel Rein, Parigi / Bruxelles

Didier Fiuza Faustino, *Love me Tender*, 2000, © ADAGP, courtesy the artist and Galerie Michel Rein, Paris / Brussels

駒乃花

SUMDAURA

MAWASHI
プロジェクト

svolto un ruolo cruciale nel compiersi di questa trasformazione. Designer e artisti sono trasformatori e una rivoluzione in questi campi è ancora più necessaria e urgente. Tentativi rivoluzionari – atti di resistenza, critici della nuova alienazione – vengono ormai intrapresi in ogni angolo del mondo. Comunità creative – artisti, designer, architetti, scienziati, ricercatori e pensatori di diversa estrazione sociale – vengono mobilitati per proporre idee che traducano in pratica questa consapevolezza comune. Viene sviluppata e sperimentata una nuova ecologia delle pratiche creative per trasformare le nuove tecnologie in strumenti tesi a migliorare le nostre condizioni di esistenza e unione sociale, più che ad amplificare la divisione e competizione per gli interessi materiali e il potere. Viene svolto un grande numero di esperimenti, soprattutto dal basso, per reinventare le professioni. Questi esperimenti, insieme all'utilizzo efficiente delle nuove tecnologie, incoraggiano anche a riscoprire pratiche escluse dall'eccessiva esplorazione e commercializzazione tecnologica. Tendono a coinvolgere strategie fai-da-te e la partecipazione comunitaria, e nel frattempo adottano posizioni progressiste verso la nuova realtà della globalizzazione e i tanti tipi di emergenze sociali. Reintroducendo la dimensione dell'umanità e del bene sociale, questi esperimenti sono destinati ad arricchire i contenuti e i significati della trasformazione, sia nell'arte sia nel design. In altre parole, l'arte e il design, e tutte le pratiche creative, dovrebbero cercare di nuovo di trasformare se stessi.

Ora, il ruolo del trasformatore – designer, artisti e altri creatori – può essere visto come la creazione di nuove forme di sinergie creative, capace di traghettare il mondo oltre la trasformazione materiale, verso una nuova unificazione. L'arte non può più essere separata dal design, e viceversa. Stiamo reinventando un nuovo lavoro creativo totale. Emergono così nuove soluzioni per risolvere la schizofrenia del nostro tempo, che ci riportano su un terreno più umano, e al tempo stesso decisamente contemporaneo: il sociale e il collettivo, il partecipatorio, il democratico.

A revolution in the fields is even more necessary and urgent. Revolutionary attempts – resistance acts, critical of the new alienation – are now being carried out everywhere in the world. Creative communities – artists, designers, architects, scientists, researchers and thinkers of different social backgrounds – are being mobilized to suggest ideas to implement this common awareness. A new ecology of creative practices are now being developed and experimented with to transform the new technologies into tools to improve our conditions of existence and social union rather than division and competition for material interests and power. A great number of experiments, especially those from the bottom of society, reinvent professions. They, along with the efficient utilization of new technologies, also encourage reviving practices excluded by the excessive technological exploration and commercialization. They tend to embrace strategies of Do-It-Yourself (DIY) and community participation while progressive positions are adopted to face the new reality of globalization and all kinds of social urgencies. By reintroducing the dimension of humanity and social good, these experiments end up enriching the contents and meanings of transformation in both art and design. In other words, art and design, and all creative practices, should look for a new transformation of themselves.

Now, the role of the transformer – designers, artists and other creators – can be seen as the one of creating new forms of the synergy of creativity, thus causing the world to go beyond the material transformation to a new unification. Art can no longer be separated from design, and vice-versa. We are reinventing a new total creative work. It leads to new solutions to solve the schizophrenia of our time: bringing us back to a more humane, but firmly contemporary, realm: the social and the collective, the participatory, the democratic.

2

L'aspirazione a violare i confini tra arte e design al fine di ricollegare pratiche artistiche e vita sociale ha una lunga storia. Ha rappresentato la forza propulsiva dei movimenti dell'avanguardia storica, come il Costruttivismo russo, il Bauhaus, la Pop Art e il Concettualismo. Ha portato a trasgredire la divisione tra alto e basso, utile e inutile, provocando da sempre una sovversione nella gerarchia dei valori estetici e sociali. Alla fine, ha aperto nuovi orizzonti di emancipazione per la creatività umana e la trasformazione delle stesse pratiche creative. Oggi sono stati introdotti nuovi interessi, condizioni e linguaggi per espandere questi sforzi trasformativi. La sostenibilità ecologica e la partecipazione sociale stanno ormai diventando temi centrali di molte conversazioni e sperimentazioni. Esercitano un'influenza enorme sulla scelta delle priorità culturali, economiche e politiche. L'elemento di novità assoluta è che l'espansione e proliferazione delle pratiche creative è diventata anche una tendenza globale, capace di raggiungere ogni angolo del pianeta. La creazione sperimentale non è più limitata all'eredità della modernità occidentale, ma oggi viene praticata e reinventata ovunque. C'è un grosso spostamento di energia e forza creativa verso il mondo "emergente", non-occidentale. L'Asia, il Sudamerica e l'Africa sono i terreni di gioco più intensi e innovativi della sperimentazione artistica. È fondamentale comprendere e comunicare il modo in cui le persone di diverse provenienze geo-culturali gestiscono e reinventano la "modernità". Tale "modernità" deve essere intesa al plurale, "le modernità", e indica la necessità di innovazione e l'influenza sulle diverse realtà e tradizioni culturali. Questo è anche il momento di "tornare" al "vernacolare", la "saggezza popolare", o intelligenza del popolo. Non si tratta di passato, ma di contemporaneità. Queste modernità esistono, spesso in forma di "maggioranza silenziosa", accanto ai sistemi consolidati di design e produzione artistica derivati dalla tradizione "ufficiale" modernista. Ci consentono di aprire il nostro orizzonte per accogliere la diversità culturale, e modi di vita davvero inventivi. La diversità culturale e la "saggezza popolare" sono particolarmente importanti per le pratiche creative del mondo "non-occidentale" nel processo di diventare globale. Essere globali non significa solo integrarsi nel "sistema mondiale" occidente-centrico. Manifesta piuttosto l'ambizione a formare un nuovo "sistema mondiale", con i propri valori culturali e le proprie idee creative.

2

Claims of breaking the borders between art and design in order to reconnect artistic practices and social life have had a long history. They have formed a driving force in historical avant-garde movements such as Russian Constructivism, the Bauhaus, Pop Art and Conceptualism. They have led to the transgression of the division of the high and the low, the useful and the useless. They have always resulted in subversions of the hierarchy of aesthetic and social values. Eventually, they have opened up new horizons of emancipations of human creativity and the transformation of creative practices themselves. Today, new concerns, conditions and languages have been introduced to expand these transformative efforts. Ecological sustainability and social participation are now becoming central themes in many conversations and experiments. They exert immense influences on the making of cultural, economic and political agendas. What is extraordinarily novel is that expansion and proliferation of creative practices have also become a global tendency reaching every corner of the world. Experimental creation is no longer limited along the lineage of Western modernity. It's now being performed and reinvented everywhere. There is a major shift of creative energy and power towards the "emerging," non-Western world. Asia, Latin America and Africa are the most intense and innovative playgrounds of artistic experiments. It is absolutely vital to witness and present how people from different geo-cultural conditions negotiate with and reinvent "modernity." This "modernity" must be registered in a plural form – "modernities." It signifies the necessity of innovation with influences of diverse cultural traditions and realities. It's also time to look "back" to the "vernacular," the "folk wisdom," or the people's intelligence. It's not about the past, but the contemporary. They exist, often as a kind of "silent majority," besides the established system of design and art making derived from the "official modernist" tradition. They allow us to open our horizons to embrace cultural diversity, and truly inventive modes of living. Cultural diversity and "folk wisdom" – people's intelligence – are particularly important for creative practices in the "non-western" world in the process of becoming global. To be global does not mean simply integrating into the Western-centric "world system." Instead it manifests ambitions and actions to form a new "world system" with its own cultural values and creative ideas.

La regione dell'Asia e del Pacifico è senza dubbio la zona oggi più dinamica per le attività creative. Il coreano Choi Jeong Hwa, che rifiuta l'etichetta di artista o designer, ha costruito una carriera creativa su lavori che trasgrediscono i confini tra arte e design, installazione e architettura. Assorbe sistematicamente l'estetica della vita quotidiana, soprattutto il gusto della "gente umile", che passa la vita in luoghi come i mercati di strada. Colleziona migliaia di economici oggetti casalinghi di plastica, come secchi, cestini, fiori e sgabelli, ecc., e li trasforma in installazioni scultoree e architettoniche molto kitsch ma magicamente stravaganti, al fine di creare nuovi spazi, sia all'interno che all'esterno. Sono spazi di sontuosa abbondanza, provocatori e ironici, e al tempo stesso risultano efficienti e funzionali. Spesso ci sono mobili e decorazioni architettoniche esposte in forme simili alle disposizioni dei mercati e dei negozi da "tutto a un euro". C'è anche "arte pubblica", nella forma di grandi fiori solidi e gonfiabili, ecc., che mira a "piacere a chi non frequenta i musei". Ispirandosi ai "beni di lusso" contraffatti, prodotti e consumati dalla maggioranza della popolazione coreana e asiatica, Choi Jeong Hwa usa materiali con marchi falsi per realizzare e vendere il suo "arredamento di design". In realtà, il fatto che i prodotti falsificati siano così diffusi, non solo nel mondo non-occidentale, ma anche nel cuore dell'Occidente stesso – ogni giorno, per esempio, centinaia di venditori ambulanti africani vendono false borse firmate sulle strade di Roma, Venezia e Milano – dovrebbe essere inteso come espressione del desiderio di una vita migliore da parte della maggioranza della popolazione, nonché dell'intelligenza e creatività con cui questa si crea da sola un "mondo migliore". Inevitabilmente, insieme a una grande libertà, questo rappresenta una resistenza al dominio di coloro che sono economicamente privilegiati e ai sistemi legali che favoriscono i potenti. In questo tipo di azione di resistenza si potrebbe vedere anche un'incredibile sovversione estetica che sfida l'ordine delle cose, la nozione "ufficiale" di autenticità e bellezza. Probabilmente, Choi Jeong Hwa lo capisce meglio di chiunque altro, in quanto riesce a utilizzare la stessa strategia per creare la sua personale "Arte Povera", e invade e trasforma musei e spazi urbani in sedi per la manifestazione dei "valori del popolo", scoprendo tutte le contraddizioni insite nei nostri giudizi sul buono e il bello.

Sulla sponda opposta del Pacifico, si trova una controparte, o meglio, un compagno di strada, di Choi. È Pedro Reyes, un messicano che allo stesso modo pretende di non essere classificato

The Asia-Pacific region is doubtlessly the most dynamic zone of creative activities today. The Korean Choi Jeong Hwa, who refuses to be labeled an artist or designer, has built a creative career by producing works that transgress boundaries between art and design, between installation and architecture. He systematically embraces the aesthetics of the everyday life, especially the taste of "lower people," who make their living in places like the street markets. He collects thousands of cheap plastic housewares such as buckets, baskets, flowers and stools, etc. and turns them into excessively "kitsch" but magically "extravagant" sculptural and architectural installations to form new spaces, both indoor and outdoor. They are fantastically abundant and lavish, provocative and humorous. At the same time, they are also efficiently functional. Often, they are both furniture and architectural decorations displayed the way they would be in street markets and one-dollar shops. They are also "public art," in the forms of large, solid or inflatable flowers, etc., aiming to "please those who never go to art museums." Inspired by the counterfeit of "luxurious goods" widely produced and consumed by the majority of Korean and Asian people, he uses materials with fake luxury brands to make and sell his "designer furniture." Indeed, the fact that counterfeit products are so popular, not only in the non-Western world but also within the West – everyday, hundreds of African street vendors are selling fake luxury brand bags on the streets of Rome, Venice and Milan, for example – should be understood as expressions of the desire of the majority of the population longing for better life and, along with that, their intelligence and creativity to create their own "better world." Inevitably, with great freedom, this mounts a resistance to the domination of the economically privileged and the legal systems in favor of the powerful ones. One can also see in this kind of resistance action an amazing aesthetic subversion that defies the order of things, the "official" notion of authenticity and beauty. Choi Jeong Hwa probably understands this better than anyone else. He manages to use the same strategy to create his own "Arte Povera" and invades and transforms art museums and urban spaces into sites of manifestation of "people's values," laying bare all the contradictions of our judgements of the beautiful and the good.

Across the Pacific, one finds a counterpart, or, better still, a comrade, of Choi. He is Pedro Reyes, a Mexican who also wishes not to be labeled as an artist or a designer or an architect, but as

Choi Jeong Hwa, *Beautiful, Beautiful, Beautiful life!*, progetto TINA B a San Salvatore, Praga, 2012, photo Martin Stanek

Choi Jeong Hwa, *Beautiful, Beautiful life!*, TINA B project in San Salvatore, Prague, 2012, photo Martin Stanek

come artista, designer, architetto, ma semplicemente creatore. Da molti punti di vista, messicani e coreani hanno esperienze simili di negoziazione con il progetto della modernità: concepiscono i loro progetti di modernizzazione in economia, cultura e politica lottando contro l'incertezza di una società post-coloniale impegnata a cercare il suo posto nel sistema globale dell'innovazione. Pedro Reyes, che come Choi si interessa alla cultura popolare e alla vita di strada, ha iniziato la sua pratica da artista-designer-architetto assorbendo le innovazioni popolari, e attingendo a fonti come le favelas e le comunità indigene. Non si è ispirato solo al modo magico in cui oggetti quotidiani vengono trasformati in dispositivi e prodotti ingegnosi, ma ha anche imparato a produrre oggetti di pubblica utilità e spazi pubblici attraverso la partecipazione collettiva e la collaborazione. Ha tratto uno spunto intellettuale dalle ricerche sui movimenti sperimentali del Sudamerica che univano il "vernacolare" al moderno, come *Barefoot Architect* di Johan van Lengen, e, soprattutto, il *Teatro dell'Oppresso* di Augusto Boal. Pedro Reyes esalta i significati politici e sociali di questo tipo di azioni comunitarie dal basso e le trasforma in progetti sperimentali di miglioramento sociale. Il contenuto principale dei suoi progetti creativi è diventata la sopravvivenza dell'impegno sociale e politico. Organizza le *pUN* (*People's United Nations*) (2013) per incoraggiare i rappresentanti non-governativi di diverse nazioni a esprimere le loro opinioni e soluzioni ai conflitti geopolitici del nostro tempo. Nel frattempo, usa il teatro delle marionette per criticare le condizioni politico-economiche contemporanee attraverso un esame vivido e satirico del Marxismo. Spesso, i suoi progetti sono concepiti come design "futuristico" – mobili, oggetti, veicoli e architettura. Il pubblico è invitato a usarli come congegni interattivi, è incoraggiato a partecipare all'invenzione di nuove funzioni e alla produzione di nuove conversazioni. Gli esempi più significativi sono i progetti che affrontano il problema molto pressante del narcotraffico in Messico e le sue conseguenze sulla politica e la vita delle persone. In *Palas por Pistolas* (2007 - in corso), ha chiesto a un governo municipale di raccogliere pistole da tutti gli strati della società e trasformarle in vanghe per piantare alberi. In *Disarm* (2012), ha trasformato centinaia di armi distrutte in un'installazione estesa e affascinante che funziona come un'enorme macchina musicale. Un'altra parte delle armi distrutte sono state convertite in strumenti musicali: i musicisti sono invitati a suonarli per celebrare la pace e la vita.

a creator instead. In many ways, Mexicans and Koreans have comparable experiences in their negotiations with the project of modernity – to produce their own modernization projects in economy, culture and politics wrestling with the uncertainty of a post-colonial society actively seeking its place in the global system of innovation. Similar to Choi's interests in the popular culture and street life, Pedro Reyes started his artist-designer-architect practice by absorbing the popular innovations, including sources from the favelas and indigenous communities. He has not only been inspired by the magical transformations of everyday objects by the people into ingenious devices and product. He has also been learning from them about producing the public utility of things and public spaces via collective participation and collaboration. He has found intellectual strength from researching into historic references of Latin American experimental movements to bring the "vernacular" and the modern together, such as John van Lengen's *Barefoot Architect*, and, especially, Augusto Boal's *Theatre of the Oppressed*. He puts forward the social and political significances of this kind of bottom-up and communal actions and transforms them into experimental projects of social improvement. Enduring social and political engagement has been developed as the main content of his creative projects. He organizes *pUN* (*People's United Nations*) (2013) to encourage the non-governmental representatives of different nations to express their opinions and solutions about the geopolitical conflicts of our time. In the meantime, he creates puppet theater work to critique the contemporary political-economic conditions through vivid and satiric examination of Marxism. More often than not, his projects are realized as somehow "futuristic" designs – furniture, objects, vehicles and architecture. The publics are invited to use them as interactive devices. They are encouraged to participate in inventing new functions and producing new conversations. The most significant examples are his projects confronting the most urgent problem of the drug war in Mexico and its consequences on politics and people's lives. In *Palas por Pistolas* (2007 - present), he asked a municiple government to collect guns from all parts of society and transform them into shovels for planting trees. In *Disarm* (2012), he has transformed hundreds of destroyed guns into a large and attractive installation that functions as a huge musical automat. Another part of the destroyed arms was turned into musical instruments. Musicians are invited to perform music with them to celebrate peace and insights of life.

In Europa, la cultura del fai-da-te e della collaborazione comunitaria sta ormai diventando di moda. Nel mondo del design attuale, c'è un eccesso di industrializzazione, tecnocentrismo e commercializzazione. La resistenza a questi eccessi e la ricerca di soluzioni alternative/correttive, spesso con una considerazione per la sostenibilità ecologica e ambientale, è ormai invocata e praticata dalla maggior parte dei professionisti. Il fai-da-te e la collaborazione comunitaria come movimento socio-culturale, insieme all'impegno ecologico, è al centro degli esperimenti nell'arte e nel design. Questo porta a una concezione più aperta e innovativa delle pratiche creative e delle loro funzioni sociali. Martino Gamper, un designer italiano che vive a Londra e ha lavorato a stretto contatto con artisti e altri creatori, ha sviluppato un sistema pionieristico per produrre e far circolare i prodotti di design. Da un lato, sottolinea il fatto che il design è un processo aperto, generato e reinventato attraverso il fare, guidato da un certo "stato mentale" che risulta dalla rivisitazione di una storia del design fatta di interpretazioni e reazioni individuali. **1** Dall'altro, fa convergere le sue pratiche sul principio di riciclare e reinventare oggetti trovati. L'esempio più rappresentativo è il progetto *100 Days, 100 Chairs* (2005 - 2007) in cui, ogni giorno per cento giorni, ha trasformato una vecchia sedia recuperata nell'ambiente circostante, ovvero per strada o a casa degli amici, in un nuovo oggetto di design. È importante capire che la sua pratica ha un forte legame con Enzo Mari, il maestro italiano del design fai-da-te, il quale, negli ultimi tre-quattro decenni, ha promosso "Autoprogettazione" come soluzione rivoluzionaria per offrire migliori condizioni di vita alla società, al di là del sistema di produzione e mercato convenzionale, sarebbe a dire capitalista. Enzo Mari una volta ha detto: "Tutti gli uomini hanno la capacità di progettare, e tutti nascono uguali". **2** Ciò suggerisce che chiunque ha il diritto di progettare qualcosa per migliorare la propria condizione di vita. Implica anche che il design, in quanto processo fai-da-te, può essere visto anche come esperienza di autolegittimazione e realizzazione della propria creatività, attraverso cui si possono creare i propri valori esistenziali e i propri

1 *Design is a State of Mind*: "Non esiste un design perfetto e non c'è un ultra design. Gli oggetti ci parlano in maniera personale. Alcuni dovrebbero essere più funzionali di altri e l'impatto emozionale che hanno su di noi rimane molto individuale. La mostra mette in evidenza un modo molto personale di collezionare e raccogliere oggetti, con pezzi che raccontano una storia". Martino Gamper, sito della mostra

2 Enzo Mari, *25 modi per piantare un chiodo*, Mondadori, Milano 2011, p. 7

In Europe, the culture of DIY and communal collaboration is now becoming more and more "à la mode." There is an excess of industrialization, technocentricism and commercialization in today's design world. Resistance to this excess and search for alternative/corrective solutions, often with a strong consideration of ecological and environmental sustainability, are now being largely evoked and practiced by professionals. DIY and communal collaboration as a social and cultural movement, along with ecological engagements, are brought to the front of design and art experiments. This leads to a more open and innovative understanding of creative practices and their social functions. Martino Gamper, an Italian London-based designer who has been working very closely with artists and other creators, has developed a ground-breaking system of making and circulating design products. On the one hand, he emphasizes that design is an open process generated and reinvented through making, driven by a particular kind of "state of mind," the result of revisiting a design history formed with individual interpretations and reactions. **1** On the other, he focuses his practices on the principle of recycling and reinventing found objects. The most remarkable example is his *100 Days, 100 Chairs* (2005 - 2007) project in which, everyday, he transformed one old chair collected from his surrounding environments, namely the streets or friends' homes, etc., into a new design, over a 100-day period. It's important to see that his practice has a strong connection with Enzo Mari, the Italian master of DIY design, who, for the last three-four decades, has promoted "Autoprogettazione (DIY design)" as a revolutionary solution to provide better living conditions for society beyond the conventional, namely capitalist, production and market system. Enzo Mari once stated: "All people have the capacity to design. And all are born equal." **2** This suggests that anyone has the right to design something to improve one's condition of living. It also suggests that design, being a DIY process, can also be seen as an experience of self-empowerment and the realization of one's own creativity, through which one can create one's own values of life and one's own ways of using things and inhabiting the world.

1 *Design is a State of Mind*: "There is no perfect design and there is no ultra design. The objects speak to us in a personal way. Some should be more functional than others, and the emotional impact they have on us is very individual. The exhibition highlights a very personal way to collect and collect objects, with pieces that tell a story." Martino Gamper, exhibit website

2 Enzo Mari: *25 modi per piantare un chiodo*, Mondadori, Milan, 2011, p. 7

Pedro Reyes, *Baby Marx*, 2008 - oggi; photo Vincente Pouso

Pedro Reyes, *Baby Marx*, 2008 - present, photo Vincente Pouso

Pedro Reyes, *Baby Marx*, 2008 - oggi; photo Emilio Valdeos

Pedro Reyes, *Baby Marx*, 2008 - present, photo Emilio Valdeos

Pedro Reyes, pUN, Peoples United Nations, 2013 – oggi, foto di gruppo dei delegati di 162 Paesi durante la prima assemblea generale al Queens Museum di New York, photo Ramiro Chaves

Pedro Reyes, pUN, *Peoples United Nations*, 2013 – present, picture of delegates from 162 countries during the first general assembly help at the Queens Museum in NY, photo Ramiro Chaves

Martino Gamper, Art & Business Culture House Dinner, Londra, maggio 2009, Art & Business Culture House, cena creata da The Trattoria Team – Martino Gamper, Maki Suzuki e Kajsa Stahl, courtesy l'artista, Maki Suzki e Kajsa Stahl, photo Amit Lennon

Martino Gamper, Art & Business Culture House Dinner, London, May 2009, Art & Business Culture House, dinner created by The Trattoria Team – Martino Gamper, Maki Suzuki and Kajsa Stahl, courtesy the artist, Maki Suzki and Kajsa Stahl, photo Amit Lennon

modi di usare le cose e abitare il mondo. È attraverso questo processo di invenzione di modi individuali e singolari di abitare il mondo che noi, collettivamente ma con approcci diversi, possiamo rendere il mondo un luogo più democratico. La pratica di Gamper si concentra sulla sostenibilità e su un approccio fai-da-te. Si misura anche con azioni collettive di creazioni transdisciplinari: con sua moglie, l'artista Francis Upritchard, e il produttore di gioielli Karl Fritsch, ha formato il gruppo "Gesamtkunsthandwerk" in Nuova Zelanda. E con altri amici designer e cuochi ha creato una serie di progetti collettivi di ristorazione per "innescare momenti insoliti di interazione e dialogo". **3**

3 Sito di Martino Gamper: *Trattoria Circolare*

Al momento, per il MAXXI, sta lavorando a un altro progetto che prevede l'estensione dei suoi interventi artigianali su sedie trovate di design. Trasformerà diciotto sedie in nuovi lavori con l'aiuto di stoffe tessute a mano a Londra e vetro soffiato a Bolzano. I pezzi saranno poi disposti come una specie di soggiorno-sala da lettura in una delle gallerie più spettacolari. Il pubblico sarà incoraggiato a sedervisi per riposare. È un invito alla partecipazione sociale mentre gli stessi "lavori", o oggetti, sono trasformati in una sorta di "installazione totale" che sfida "con delicatezza" la distinzione tra arte e design... e vita reale.

Interagire con la realtà sociale è senza dubbio un elemento chiave dei programmi delle persone creative oggi; e lo diventa sempre di più. Alcune di loro hanno persino scelto di confrontarsi direttamente con le sfide più urgenti del nostro tempo. Didier Fiuza Faustino, architetto e artista con sede a Parigi, ha sempre riportato la sua pratica, al tempo stesso nettamente concettuale e intensamente fisica, alla questione della produzione dello spazio sociale attraverso processi di design. Con una visione e strategie ispirate e stimolate da iniziative "anarchiche" come l'idea di Hakim Bey delle "Zone Temporaneamente Autonome (TAZ)" o *Fight Club* di Chuck Palahniuk, il suo lavoro esplora la funzione dei corpi individuali come una forza fondamentale atta a generare spazi di libertà contro i vincoli imposti dai poteri dominanti. Sono incarnazioni di forme indipendenti di vita, pensiero e azione. Questi progetti, che spesso combinano rigore architettonico e immaginazione artistica, enfatizzano il potenziale di trasformazione, negoziando nuove tipologie di strutture spaziali che oscillano tra pubblico e privato, mobile e statico, effimero e permanente, politico e poetico.

It's through this process of inventing individual and singular ways of dwelling the world that we, collectively but with diverse approaches, can make the world a more democratic place. Gamper's design practices focus on sustainability and DYI approaches. He also engages with collective actions of trans-disciplinary creations: with his wife and artist Francis Upritchard and the jewelry maker Karl Fritsch, he formed the group "Gesamtkunsthandwerk" in New Zealand. And with other designer and chef friends he has created a series of collective restaurant projects to to "trigger unusual moments of interaction and dialogue." **3**

3 Martino Gamper's website: *Trattoria Circolare*

Currently he is working on another project for the MAXXI to extend his DIY interventions in found designer chairs. He will transform eighteen chairs into new works blended with hand-woven fabrics made in London and glass fused in Bolzano. They will eventually be installed as a kind of living-reading room in the center of one of the most spectacular galleries. The public is welcome to sit on them and rest. It is an invitation for social participation while the "works," or the objects themselves are turned into a kind of "total installation" that "softly" defies the distinction between design and art...as well as real life.

Engaging with social reality is certainly a key element in the agendas of creative people now; and this is true more and more. Some of them even choose to confront directly with the most urgent challenges in society. Didier Fiuza Faustino, a Paris-based architect and artist, has always related his practices, at once highly conceptual and intensely physical, to the question of the production of social space through design process. With a vision and tactics inspired and stimulated by "anarchist" initiatives like Hakim Bey's idea of "Temporary Autonomous Zone (T.A.Z.)" and Chuck Palahniuk's *Fight Club*, his work explores the function of individual bodies as a fundamental force to generate space of freedom against the imposed constraints of all dominating powers. They are embodiments of independent forms of living, thinking and acting. These projects, often combining architectural rigors and artistic imagination, emphasize the potentials of transformation, negotiating for new typologies of spatial structures hovering between the private and the public, between static and mobile, between permanent and ephemeral, between political and poetic.

Transformers

Transformers

Oggi, più che mai, la questione dell'immigrazione diventa un tema fondamentale che invade la nostra vita e la nostra percezione del mondo che cambia. L'attuale crisi della regione mediterranea, in particolare nell'area di Lampedusa, insieme ad altre zone di confine prese d'assalto dai rifugiati che fuggono dalle zone di guerra in Medio Oriente, è stato un altro monito per tutti, soprattutto artisti e intellettuali. Già nel 2000, Faustino aveva prodotto *Body in Transit* – una scatola per trasportare clandestinamente un essere umano sotto un aereo, riferendosi a storie vere di clandestini africani che entravano in Europa nascosti sotto il carrello d'atterraggio degli aeroplani – per avviare discussioni sulla missione e la posizione etica dei designer di fronte all'emergenza sociale. Il suo nuovo lavoro *Lampedusa* (2015), riferito alla tragedia storica raffigurata in modo drammatico dal quadro di Théodore Géricault, *La zattera della Medusa* (1818 - 1819), è un progetto per un salvagente ispirato agli oggetti di fortuna usati dai rifugiati nell'attraversare i mari e poi andati alla deriva. Sembra che l'allarme sia sempre più disperato per tutti i creativi che affrontano questo mondo spietato.

L'emergenza è globale, e mette in luce le profonde contraddizioni del mondo in permanente trasformazione, create dal conflitto tra ideali utopici di progresso e la realtà delle lotte di potere, nei campi della politica, dell'economia, della tecnologia, della cultura, e persino della vita quotidiana, insomma, dell'intera società umana. Qualsiasi rivoluzione non può che essere contraddittoria. Per noi è assolutamente necessario rivisitarle e ripensarle tutte in modo critico. Il progetto di Didier Fiuza Faustino, *Exploring Dead Buildings 2.0* (2015), mostra un impegno continuo in questo riesame. Dopo aver esplorato qualche anno fa con una performance il fallito edificio utopico del Ministero delle strade e autostrade a Tbilisi, Georgia, Faustino continua la sua esplorazione dell'utopia e del suo fallimento in un luogo simile, benché situato in un altro continente. Stavolta è intervenuto nella famosa Scuola di Ballo, progettata da Vittorio Garatti, come parte della Scuola nazionale delle arti dell'Avana, un simbolo notoriamente abbandonato della rivoluzione cubana. Ha invitato giovani cubani a indossare copricapi a forma di gabbia con telecamere per attraversare e filmare quella "utopia morta", condannata sia dall'embargo americano che dal totalitarismo cubano. In questo caso, non intende evocare nessuna nostalgia per l'impulso rivoluzionario e i piani utopistici di innovazione artistica. Piuttosto, solleva interrogativi a livello

Today, more than ever, the question of immigration becomes a major concern haunting our life and our perception of the changing world. The current crisis in the Mediterranean region, especially in the area of Lampedusa, along with other borderline areas flooded by refugees escaping from the warzones in the Middle East, etc., have been another wake-up call for all, especially for artists and intellectuals. Early in 2000, Faustino already produced *Body in Transit* – a box for human trafficking under an airplane, referring to true stories of African clandestine immigrants entering Europe hiding under the landing gears of aeroplanes – to launch discussions on the mission and ethical position of designers facing social urgency. His new project *Lampedusa* (2015), referring to the historically notorious tragedy dramatically depicted in Théodore Géricault's painting *Le Radeau de la Méduse* (1818 - 1819), is a new design for a lifebuoy derived from the makeshift floating objects used by refugees across the seas. It sounds an even more desperate alarm for all the creative people facing this crude world.

This urgency is a global one. It demonstrates the profound contradictions of the world in permanent transformation driven by the conflicts between utopian ideals of progress and the reality of power struggle, in the realms of politics, economy, technology, culture and even everyday life, namely, all of human society. All revolutions are inevitably contradictory. It is absolutely necessary for us to revisit and rethink critically. Didier Fiuza Faustino's project *Exploring Dead Buildings 2.0* (2015) shows an ongoing commitment to this reexamination. After exploring the failed utopian building of the Ministry of Highways in Tbilisi, Georgia a few years ago with a performance intervention, Faustino continues his inquiry of Utopia and its failure in another similar location – even if it is situated in another continent. This time he intervened in the famous School of Ballet, designed by Vittorio Garatti, as a part of the National Art School of Havana, a notoriously abandoned symbol of the Cuban revolution. He invited young Cubans to carry cage-like head rigs with cameras to wander through and film the "dead utopia," condemned by both the American Embargo and the Cuban totalitarianism. Here, he does not intend to recall any nostalgia for the revolutionary impulse and the utopian plans for artistic innovation. Instead, he raises questions at a more profound level: what are the relations between the body and spatial

più profondo: quali sono le relazioni tra il corpo e la produzione spaziale, tra la singolarità di un individuo e la moltitudine di azioni collettive, tra le menti creative e i poteri politico-economici? Quale tipo di realtà è stata e sarà generata dalle loro interazioni? La trasformazione, o addirittura la rivoluzione, sono ancora possibili? Oggi, il rapporto tra Cuba e gli Stati Uniti sta vivendo un "disgelo", se non una "normalizzazione". Significa che un'altra "rivoluzione", stavolta "capitalista", è imminente? Forse la saggezza popolare, che è stata usata per progettare le zattere per i rifugiati che cercavano di scappare a Miami, dovrebbe essere utilizzata per contribuire alla costruzione dei grattacieli dell'Avana che presto ospiteranno le multinazionali?

3

Le idee sulla trasformazione sono state al centro di un particolare filone di conoscenza umana. Nel campo della letteratura e delle arti, ci si è sempre affidati alla "metamorfosi" per creare narrazioni immaginarie sul proprio destino, in parallelo alle storie "scientifiche". Da Ovidio a Kafka alla fantascienza contemporanea, insieme ai cinesi *Shan Hai Jing* (Libro dei monti e dei mari) e *I-Ching* (il Libro dei Mutamenti), e così via, la "metamorfosi" ha offerto un modo adottato a livello globale per scrivere storie alternative con l'immaginazione e la fantasia. Queste, permettendoci di trasformare le nostre esistenze e identità tra diversi universi e specie, rappresentano un'occasione per evadere dalle limitazioni della "realtà", cioè il controllo da parte del sistema di potere. Sono tutte stimolate da un desiderio di libertà e creatività. Il design, nel senso più ampio della parola, è ciò che si utilizza sempre per dare corpo a queste aspirazioni. La creatività è il carburante della macchina della trasformazione.

Ma allora chi sono e come devono essere i veri creatori, o trasformatori, del nostro tempo? Come ha detto Richard Florida, viviamo nell'epoca dell'ascesa della classe creativa. E questo ha un prezzo: diseguaglianza sociale e divisioni che provocano caos, proteste e persino tumulti. **4** La nuova sfida in questo momento storico di trasformazione è mobilitare la creatività di tutti in modo democratico per risolvere i problemi. Dobbiamo ridefinire il concetto di persona creativa. Da questo punto

4 Richard Florida, *L'ascesa della classe creativa*, tr. it. F. Francis, Mondadori, Milano 2003

production, between the singularity of the individual and the multitude of collective actions, between the creative minds and political-economic powers? What kind of reality has been and will be generated by their interactions? Is transformation, or, even revolution, still possible? Today, the relationship between Cuba and the USA is going through a "thaw," or even "normalization." Does this mean another "revolution" – a "capitalist" one this time – is coming? Are the people's skills, which were used to design rafts for refugees trying to sail to Miami, soon to be called up to contribute to the building of skyscrapers in Havana for transnational corporations?

3

Ideas of transformation have been a core of a particular lineage of human knowledge. In the fields of literature and arts, "metamorphosis" has always been resorted to to create narratives of human imaginations about their own destiny, parallel to "scientific" histories. From Ovid to Kafka to contemporary Science-Fictions, along with the Chinese *Shan Hai Jin* (Classic of Mountains and Seas) and *I-Ching* (the Book of Changes), etc., "metamorphosis" has provided a globally embraced way to inscribe alternative histories with imagination and fantasia. By allowing us to transform our existences and identities between different universes and species, they represent possibilities to escape from the limitation of "reality" – the control of the power system. They are all driven by desire for freedom and creativity. Design, in the broadest sense of the word, is always resorted to to embody these pleas. Creativity is the fuel that drives the machine of transformation.

So who are and how can they be the real creators or transformers of our day and age? As Richard Florida once said, we are in the time of the rise of the creative class. And that comes with a price: social inequality and divisions that provoke chaos, protests and even turmoil. **4** The new challenge in this transformational moment of history is how to mobilize everyone's creativity in a democratic manner to solve the problems. We need to redefine the notion of a creative person. Here, it is not useless to

4 Richard Florida: *The Rise of the Creative Class*. Basic Books, New York, 2002

Martino Gamper, *100 Chairs in 100 Days*, 2005 - 2007, courtesy l'artista / Nilufar, photo Angus Mill

Martino Gamper, 100 Chairs in 100 Days, 2005 - 2007, courtesy the artist / Nilufar, photo Angus Mill

di vista, non è inutile ricordare i manifesti pseudo-utopici della generazione di Enzo Mari e Joseph Beuys, secondo cui chiunque poteva essere un designer o un artista, insomma un creatore. Ciò che intendevano in realtà è che siamo tutti creatori del nostro destino. Ci troviamo in un periodo storico di sostanziale trasformazione dei modelli di produzione economica e culturale verso un modello centrato sulla creatività. Per quanto sia paradossale, più la creatività prende il sopravvento, più aumenta la divisione sociale. Anche il dilagare di Internet e dei social media genera un nuovo dilemma: oggi il mondo è sempre più diviso tra ricchi e poveri in termini di accesso alle tecnologie e ai nuovi ambienti che esse hanno prodotto. La democrazia è minacciata. È urgente ripensare alle questioni dell'uguaglianza e della condivisione, e immaginare una democrazia basata sia sulle dinamiche creative che sulla solidarietà. La forza della creatività dal basso stimolata dalla partecipazione attiva e massiccia di moltitudini di persone, al di là dei confini e delle gerarchie delle professioni dell'arte e del design, può essere una forza trascinante che aiuta a risolvere i problemi del nostro tempo, contribuendo così in modo significativo alla trasformazione di un sistema disfunzionale in qualcosa di migliore.

San Francisco, 16 agosto 2015

recall the quasi-utopian manifestos of the generation of Enzo Mari and Joseph Beuys claiming that everyone can be a designer or an artist, namely, a creator. What they really mean is that we are all creators of our own destinies. We find ourselves in a historical period of the fundamental transformation of the economic and cultural production model towards a creativity-led one. Paradoxically, the more creativity is taking over, the more social division is increased. The prevalence of the Internet and social media also generates a new dilemma: the world is now more and more divided into the haves and have-nots in terms of access to technologies and the new environments that they have produced. Democracy is under threat. It's urgent for us to rethink the questions of equality and sharing, and to reimagine a democracy based on both creative dynamics and solidarity. The forces of bottom-up, grass-roots creativity, driven by the massive and active participation of the multitude of people, beyond the boundaries and hierarchies of the professions of arts and design, can be a major power to help solve the problems of our time, hence to contribute significantly to the transformation of a dysfunctioning social system towards a better one.

San Francisco, August 16, 2015

Hou Hanru

Deyan Sudjic

Il peso dell'Utilità

The Burden of Utility

La creazione della cappella di St Paul de Vence dopo la fine della Seconda guerra mondiale rappresenta in forma concentrata la tensione tra arte e design. La cappella trae origine dalla convinzione di un prete cattolico, Alain Couturier, che l'arte religiosa avesse perso ogni autenticità, e avesse bisogno della vitalità di un vero artista più che della piattezza di ciò che veniva spacciato per arte religiosa. La sua prima mossa fu convincere Matisse ad accettare la commissione di disegnare paramenti, vetrate e iconografia religiosa per le pareti della cappella. Dopodiché, Couturier – che in seguito avrebbe arruolato Le Corbusier per la progettazione della cappella per i pellegrini di Ronchamp e il monastero di La Tourette –, offrì a Matisse una scelta di architetti. Persino Le Corbusier poteva essere disposto ad accettare la commissione. Matisse ci pensò, e decise che voleva una persona disposta a seguire i suoi ordini, quindi optò per l'anziano Auguste Perret. Il risultato fu un edificio banale, e un'opera d'arte sublime. Il difficile interrogativo che si pone è se un contesto architettonico più efficace avrebbe diminuito o intensificato l'impatto dell'arte.

Possiamo solo speculare sui motivi della scelta di Le Corbusier, ancora nel 1930, di usare il suo nome, Jeanneret, per firmare i quadri che realizzava nel suo studio al mattino, e il suo più celebre pseudonimo per progettare edifici al pomeriggio. Forse in realtà si considerava un artista, più che un progettista, e pensava che l'arte, rispetto al design, fosse una forma superiore di cultura?

Thorstein Veblen, l'economista americano che, nel libro *La teoria della classe agiata*, ha usato per primo l'espressione "consumo vistoso", offre un'avvincente spiegazione del motivo per cui potrebbe essere questo il caso. A differenza di molti economisti,

The creation of the chapel of St Paul de Vence in the aftermath of the Second World War reflects the tension between art and design in the most distilled way. The chapel has its origins in the conviction of Alain Couturier, a Catholic priest, that religious art had lost all sense of authenticity. It needed the vitality of a real artist, rather than the lifelessness of what passed for religious art. His first step was to convince Matisse to take on the commission to produce vestments, stained glass, and religious iconography on the walls of the chapel. Having done so, Couturier – who was later to engage Le Corbusier in the creation of the pilgrimage chapel Ronchamp, and of the monastery of La Tourette – offered Matisse his choice of architect. Even Le Corbusier might be prepared to take it on as a commission. Matisse thought about it, and decided he wanted somebody who would do what he told him to do, and opted for the elderly Auguste Perret. The result was a banal building, and a sublime work of art. The uncomfortable question is whether a more powerful architectural setting would have diminished or enhanced the impact of the art.

We can only speculate on the reasons behind Le Corbusier's decision as late as 1930 to use his own name, Jeanneret, to sign the paintings that he completed in his atelier in his mornings but to design buildings under his more famous pseudonym in the afternoon. Was it that he really saw himself as an artist, rather than a designer, and that somehow art reflects a higher form of culture than design?

Thorstein Veblen, the American economist, who was the first person to use the term, "conspicuous consumption" in his book *The Theory of the Leisure Class*, provides an intriguing account of why this might be the case. Veblen unlike most economists was

Veblen era più interessato al comportamento umano che alla matematica. Esplorando le gerarchie culturali, scoprì che quasi ogni società assume la forma di una piramide, con in cima quelli che non hanno bisogno di lavorare – un'aristocrazia composta da guerrieri e sacerdoti di vario genere –, una classe mercantile da qualche parte nel mezzo, e in fondo quelli che devono usare le mani per sopravvivere. Veblen interpretava l'economia come il prodotto dei segni impiegati da ognuna di queste classi per riflettere il proprio posto in tale gerarchia. Quelli che non hanno bisogno di lavorare ostentano il loro privilegio negli abiti e nei possedimenti. I significanti del privilegio sono basati sull'inutilità invece che sulla funzione. I ricchi, che non devono lavorare per vivere, esibiscono per esempio la loro condizione evitando di scottarsi al sole, a parte quel breve interludio del XX secolo in cui i soldi hanno offerto ai nordeuropei l'accesso al sole del Mediterraneo, per cui l'abbronzatura è passata a significare la libertà di viaggiare più che la schiavitù contadina, fino al momento in cui i ricchi, se non ancora il proletariato, hanno scoperto che il sole comporta rischi per la salute.

Un po' per le stesse ragioni, i ricchi hanno adottato codici di abbigliamento che segnalano la loro indifferenza al lavoro manuale, come vestiti bianchi e scarpe scomode, e sono attratti dagli oggetti che alludono al loro status. L'arte è inutile, e in virtù di questo riflette una condizione più elevata rispetto al design, spesso gravato dal fardello dell'utilità.

Il valore non dovrebbe essere confuso con il prezzo, ma il prezzo può comunque essere usato come indicatore del modo in cui la società valuta l'importanza di un oggetto artistico. In termini di intensità emotiva, una sedia rossa e blu disegnata da Gerrit Rietveld nel secondo decennio del XX secolo sembra indistinguibile da una tela coeva di Piet Mondrian. Eppure resta confinata alla categoria delle sedie, mentre l'altra è un'opera d'arte. All'epoca della loro realizzazione, è anche possibile che la sedia abbia avuto un prezzo superiore rispetto al quadro. Oggi, il quadro a un'asta raggiungerà una cifra dieci volte più alta. A volte il design può essere trasformato dal prezzo in qualcosa che si avvicina all'arte. Quando era in vita, Jean Prouvé gestiva una fabbrica in base a principi utopistici, con l'obiettivo di produrre mobili per scuole e ospizi, robusti ed economici ma eleganti. Dopo la sua morte, la sua produzione è stata a poco a poco trasformata dall'interesse dei collezionisti. Se si riesce a dimostrare che un frammento sottratto all'interno di una fabbrica o di un ufficio

more interested in behavior than in mathematics. He explored cultural hierarchies, and found almost every society took the form of a pyramid, topped by those who had no need to work – an aristocracy made up of warriors and priests of various kinds, with a merchant class somewhere in the middle – and those that had to use their hands to survive at the bottom. Veblen understood economics as the product of the signs each of these classes used to reflect their position in this hierarchy. Those with no need to work with their hands flaunt this privilege in their dress and their possessions. The signifiers of privilege are based on uselessness rather than utility. The wealthy, with no need to work to survive, demonstrate their status by, for example, avoiding sunburn, except for that brief interlude in the twentieth century when wealth offered the northern Europeans access to Mediterranean sunshine when a tan meant freedom to travel rather than agricultural servitude, until it became clear to the affluent if not yet the proletariat that the sun brought health risks with it.

In a similar vein, the affluent have adopted dress codes that signal their indifference to the effects of manual labor, white clothing, impractical footwear, and have been fascinated by those artifacts that suggest their status. Art is useless, and therefore reflects a higher status than design, which somehow is cursed by the burden of utility.

Value should not be confused with price, but price can still be understood as an indication of how society understands the significance of an artifact. In terms of intensity of feeling a red blue chair made by Gerrit Rietveld in the second decade of the twentieth century seems indistinguishable from that of a canvas from the same period by Piet Mondrian. And yet one is still categorized as a chair, while the other is a work of art. When they were first made, the chair might even have commanded a higher price than the painting. Now the painting will sell at auction for ten times more than the chair. Sometimes design can be transformed into something approaching art by price. While Jean Prouvé was alive, he ran a factory on utopian principles, dedicated to producing robust and economical but elegant furniture for schools and hostels. His output since his death has gradually been transformed by its attraction to collectors. Every fragment torn from the interior of a factory or a labor exchange where it formed the backdrop to everyday working class life that can be demonstrated by a dealer to carry Prouvé's name has now escalated in price in the hands of dealers to the extent that they are too expensive to risk

di collocamento, dove faceva da sfondo alla vita quotidiana degli operai, porta la firma di Prouvé, questo raggiunge un prezzo talmente alto che non si può più correre il rischio di usarlo per il suo scopo originario, e così l'oggetto "utile" viene reso "inutile", con una prevedibile ricaduta sul suo status.

L'arte, nella nostra epoca agnostica, ha raggiunto il rango della magia e della religione: produce oggetti che acquistano un misterioso carattere di alterità.

Questo carattere è per certi versi il prodotto di una ricerca di consolazione, la consapevolezza che l'arte è qualcosa che trascende il quotidiano, un ricettacolo di valori permanenti. In larga misura tutto ciò è stato superato dalla trasformazione dell'arte in investimento finanziario. La consapevolezza che un'umile tela è in grado di attrarre prezzi da capogiro non può che modificarne l'aura.

E Orbit, come dovremmo definirla? Con i suoi 115 metri di altezza, circa ventidue più della *Statua della Libertà* di Frédéric-Auguste Bartholdi, si erge a permanente memoria del 2012, l'anno in cui Londra ha ospitato per la terza volta i Giochi Olimpici. È stata il prodotto di un crescente entusiasmo politico per gli edifici spettacolari. Risultato di una competizione, è stata costruita con l'acciaio e i fondi della ArcelorMittal. Kapoor l'ha creata insieme a Cecil Balmond, un designer e ingegnere strutturale di prim'ordine. Anche Kathryn Findlay, architetto britannico poi scomparso, ha svolto un ruolo significativo nella realizzazione dell'edificio.

Ma cos'è, in fondo? Una scultura? Un pezzo di ingegneria? Architettura? O un'opera d'arte? Non si può definire "semplicemente" un'opera d'arte.

Lo stesso Kapoor ha spiegato al "Guardian": "Probabilmente la definizione migliore è scultura, perché non si tratta di un edificio vero e proprio, anche se ha qualcosa a che fare con l'architettura. Anche nel caso di Frank Gehry o Zaha Hadid ci si interroga sempre sulla natura dei loro edifici. Descrivere un Gehry come un oggetto cubista visto dall'interno potrebbe essere un modo proficuo di avviare la discussione. I confini sono sfocati e penso che in futuro, anche grazie alla tecnologia informatica, lo status della costruzione di grosse strutture, non chiamiamole sculture né architetture, sarà sempre più confuso, e giustamente dibattuto".

Orbit è così gigantesco che sembra appartenere a una categoria assolutamente inedita di oggetti. Non è un edificio, né una cosa, ma un elemento di disturbo, come la portaerei incollata su un campo di grano dei collage anni Sessanta dell'architetto Hans Hollein.

being used for their ostensible purpose, and so have been rendered "useless" rather than "useful," with a predictable impact on their status.

Art in our agnostic present day has taken on the status of magic and religion; producing objects that take on a mysterious quality of otherness.

That quality is in some sense the product of a search for the kind of consolation that comes from understanding art as beyond the everyday, and the repository of permanent values. It has also been overtaken to a large extent by the transformation of art into an asset class. The knowledge that a modestly scaled canvas can attract huge prices undoubtedly transforms the aura around them.

How should we define Orbit? At 380 feet, some 72 feet taller than Frédéric-Auguste Bartholdi's *Statue of Liberty*, it stands as a permanent reminder of 2012, the year that London staged the Olympic Games for the third time. It was the product of a growing political enthusiasm for conspicuous landmarks. It emerged from a competitive process, and was built with ArcelorMittal's steel and money. Kapoor worked on it with Cecil Balmond, a man who is a highly gifted structural engineer and a designer. The late Kathryn Findlay, a British architect, also played a significant part in realizing it.

Is it then a sculpture? A piece of engineering? Architecture? Or is it a work of art? One could not say "simply" a work of art.

Kapoor himself told "the Guardian:" "It is probably best described as sculpture, because it is not a building, but it does this building-type thing. There is the same question around Frank Gehry or Zaha Hadid as to what the status of their buildings are. Describing a Gehry as a cubist object viewed from the interior may well be a useful way of talking about it. The lines are blurred and I think in the future, partly because of computer technology, the status of big form making, lets not call it sculpture or architecture, will be increasingly confusing, and correctly disputed."

Orbit is so big that it seems to belong to an entirely new category of object. Not a building, or a thing, but a disruptive element, something hinted at by the architect Hans Hollein's collages from the 1960s that montaged an aircraft carrier into a wheatfield.

In some media accounts Kapoor is described as having been commissioned to "design" Orbit, a formulation that could be regarded as an oxymoron. You might make design the subject of a work of art; in the manner of a Marcel Duchamp readymade, or

In alcuni articoli si dice che a Kapoor è stata commissionata la "progettazione" di Orbit, formulazione che potrebbe essere considerata un ossimoro. È certo possibile fare del progetto o del design il tema di un'opera d'arte, come in un ready made di Marcel Duchamp, o un Richard Hamilton che evoca la precisione euclidea di un tostapane della Braun: il suo Mont St Victoire, lo chiamava. Ma come si può "progettare" un'opera d'arte, che in teoria dovrebbe essere autentica e autonoma?

A livello storico, l'arte è venuta prima, il design dopo. Le radici della parola affondano nelle arti decorative, che a loro volta, in teoria, erano radicate nella funzione o nell'utilità.

Ci sono tantissimi oggetti per cui il concetto convenzionale di "funzione" risulta inadeguato. La funzione non è mai una semplice qualità utilitaristica. Qualsiasi categoria o tipologia di oggetti, che sia o meno utile, è capace di trasmettere una risonanza emotiva.

Storicamente, il design veniva chiamato in causa quando la semplice abilità artigiana non era considerata sufficiente a soddisfare le ambizioni culturali covate da un committente per le porte del battistero di una cattedrale, un'armatura di rappresentanza o un'urna marmorea. Un artista veniva incaricato di fornire un progetto – o disegno – su cui l'artigiano avrebbe poi lavorato.

In un certo senso, si potrebbe dire che al Parco Olimpico è successo proprio questo. Kapoor ha realizzato alcuni schizzi; in dialogo con Balmond, questi schizzi hanno assunto una forma che ha reso le caotiche spirali di acciaio di Kapoor stabili e in grado di essere costruite da artigiani esperti. Quando i calcoli di Balmond sono terminati, e la forma del progetto ha attraversato una serie di revisioni, gli schizzi si sono trasformati in disegni di produzione. Gli appaltatori della Olympic Delivery Agency hanno galvanizzato l'acciaio delle scale d'accesso, costruito e installato la struttura d'acciaio tubolare – mentre Kapoor si occupava di insistere sull'appropriata sfumatura di rosso della vernice, e assicurarsi che i bulloni non fossero verniciati, perché rivelassero la loro presenza e scopo.

È un processo adottato da molti studi di artisti per creare opere su larga scala, con informazioni di produzione, ingegneria d'officina e controllo di qualità, un processo non troppo diverso dalla sequenza che può comportare la progettazione e fabbricazione di un'automobile.

Forse queste distinzioni non dovrebbero contare. In un mondo ideale sarebbero irrilevanti, e tuttavia continuano a improntare il dibattito sulla relazione tra arte, design e architettura.

a Richard Hamilton evoking the Euclidean precision of a Braun toaster: his Monte St Victoire as Hamilton put it. But how can you "design" a work of art if it is to be authentic and autonomous?

In historical terms, art came first. Design followed. The roots of the word are in the decorative arts that supposedly have their roots in function or utility.

There are so many objects for which the conventional idea of "function" is inadequate. Function is never a simple utilitarian quality. Any category or typology of object is capable of conveying emotional resonance whether it is useful or not.

Historically, design was called into play when simple craft skill alone was not judged sufficient to achieve the cultural ambitions harbored by a patron for the baptistry doors of a cathedral, a ceremonial suit of armor, or a marble urn. An artist would be commissioned to provide a design – or drawing – for the craftsman to work from.

In one sense, this could be said to be exactly what took place in the Olympic Park. Kapoor made sketches. In dialogue with Balmond, those sketches took on a form that made Kapoor's thrashing coils of steel stable and capable of being realized by skilled artisans. When Balmond's calculations were complete, and the form of the project had gone through a series of iterations, they were turned into production drawings. The Olympic Delivery Agency's contractors galvanized the steel for the access stairs, fabricated and installed the tubular steel structure – while Kapoor took care to insist on the appropriate shade of red paint, and on ensuring that bolts were left unpainted and so revealed their presence and purpose.

It is a process that is reflected in the way that a number of artist's studios now work to fabricate large-scale works, with production information, shop drawings and quality control, not so far removed from the sequence that designing and making a car might involve.

Perhaps these boundaries should not matter. In an ideal world they would be irrelevant, yet they continue to frame the conversation about the relationship between art and design and architecture.

There are many more positive episodes of collaboration such as the dialogue between Jacques Herzog and Ai Weiwei, or the Independent Group and the Smithson's collaboration with Eduardo Paolozzi for the Whitechapel's *This Is Tomorrow* exhibition. But artists and architects are both intrigued and suspicious,

Ci sono molti altri esempi positivi di collaborazione, come il dialogo tra Jacques Herzog e Ai Weiwei, o quello dell'Independent Group e Smithson con Eduardo Paolozzi per la mostra *This is Tomorrow* alla Whitechapel. Ma sia gli artisti che gli architetti sono diffidenti oltre che incuriositi, e spesso tra le due categorie nascono gelosie e imbarazzi. Il fenomeno si è reso evidente nel conflitto tra Robert Irwin e Richard Meier sul giardino del Getty, la tensione documentata tra Frank Gehry e Richard Serra, e altre ben note diatribe.

Il libro del critico di architettura Joseph Rykwert, *The Judicious Eye*, esplora la graduale separazione, avvenuta negli ultimi duecentocinquanta anni, tra l'architettura e quelle che un tempo erano chiamate le altre arti. Oggi, dice, si tratta ormai di un divorzio – che senza dubbio lo addolora, nel senso che trova buona parte di ciò che si costruisce troppo banale per parlarne o troppo vacuo per notarlo. Ma dalla sua pungente visione della direzione che hanno preso, tanto l'arte quanto l'architettura, si può trarre la conclusione che secondo lui le cose non andrebbero molto meglio se le due parti avessero deciso di restare insieme per il bene dei figli.

Eppure, arte e design continuano a essere affascinati l'uno dall'altra. Donald Judd, per esempio, creava arte che sembrava adottare le forme e le tecniche del design. Realizzava lavori che avevano le dimensioni dell'architettura. Produceva ambienti architettonici a suo uso e consumo. Progettava mobili da produrre in fabbrica. Raccontava agli intervistatori che anche se l'arte e il design sembravano convergere, in realtà si trattava di attività completamente diverse. Quando produceva mobili era un designer. Quando produceva arte era un artista.

Una interessante generazione di designer, di cui Martino Gamper è un esponente di punta, è riuscita con qualche accorgimento a non farsi limitare da queste tensioni. Grazie a una sofisticata comprensione del contesto allargato della cultura visiva in cui opera, Gamper è riuscito a rendere il design il soggetto della sua pratica. Il suo lavoro ha la capacità di porre domande come solo l'arte riesce a fare, invece di limitarsi a offrire una risposta troppo tempestiva.

La storia personale di Gamper suggerisce un percorso peculiare. È nato in Trentino, madrelingua tedesco in una provincia italiana. Questa, tra l'altro, è la parte di Europa che ha prodotto uno dei designer più affascinanti e ambivalenti del XX secolo, Ettore Sottsass, un uomo capace di praticare definizioni parallele e

as well as jealous and awkward with each other. The phenomenon is reflected in the confrontation between Robert Irwin and Richard Meier over the landscaped setting for the Getty, the documented tension between Frank Gehry and Richard Serra, and other well publicized feuds.

The architectural critic Joseph Rykwert's book, *The Judicious Eye*, explores the gradual separation over the last 250 years of architecture from what were once called the other arts. It is now, he says, a divorce – one which he clearly regrets – in that he finds most of what we build now either too banal to discuss or else somehow too empty to notice. But from his acid view of the direction that both art and architecture have taken, you could be forgiven for assuming that he does not believe that things would have been much better if the two parties had decided to stay together for the sake of the children.

And yet art and design continue to be fascinated by one another. Donald Judd for example used to make art that seemed to adopt the forms and techniques of design. He made artworks that had the scale of architecture. He made architectural environments for his own use. And he designed furniture to be manufactured in factories. Judd told interviewers that while art and design might appear to be converging, they were in fact still entirely different activities. When he was making furniture he was designing. When he was making art, he was being an artist.

An intriguing generation of designers, of which Martino Gamper is a leading example, have managed with some sophistication to avoid being pinned down by these tensions. With a more sophisticated understanding of the wider visual culture in which he operates than is sometimes displayed by designers he has managed to make design the subject matter of his work. His work has the ability to ask questions in the way that an artist can, rather than simply to try to answer those questions too readily.

Gamper's personal history suggests a distinctive trajectory. He was born in the Trentino; a native German speaker in an Italian province. This is the part of Europe that also produced one of the twentieth century's most fascinating and ambivalent designers, Ettore Sottsass, a man who was able to pursue parallel and equally successful definitions of design. Simultaneously he made designs for convincing mass-produced objects: typewriters, calculators, office chairs, and also worked on editions, ceramics, glass and jewelry, as well as installations and art works.

altrettanto riuscite di design. Nello stesso tempo in cui progettava oggetti in serie, come macchine da scrivere, calcolatrici, sedie da ufficio, realizzava anche libri, ceramiche, oggetti in vetro e gioielli, oltre a installazioni e opere d'arte. Merano, dove Gamper è cresciuto, è la città in cui il padre di Sottsass, anche lui chiamato Ettore, costruì un'estensione del municipio negli anni Venti, quando la provincia fu ceduta all'Italia dopo la caduta dell'Impero Austroungarico.

Gamper ha studiato a Vienna come il padre di Sottsass, ma nel suo caso all'Accademia di Belle Arti, e in seguito al Royal College of Art di Londra; due scuole in cui Ron Arad era professore e la sua indipendenza di spirito ha lasciato un segno importante.

Nel XXI secolo, i designer sono restii a imbarcarsi in dichiarazioni enfatiche e manifesti, come un tempo usava fare la generazione di Sottsass. Gamper, forse come Konstantin Grcic, o Jasper Morrison, i due designer che potrebbero essere considerati più vicini alla sua combinazione di capacità produttive ed echi culturali, lascia che il suo lavoro parli per lui. Senza dirlo a parole, suggerisce un approccio al design che tiene conto del più vasto quadro delle arti, un approccio capace di aggirare il complesso di inferiorità culturale che ha messo in ombra troppo design, e ha spinto troppi designer a cercare l'effetto, più che la sostanza.

Merano, where Gamper grew up, is the city in which Sottsass's father, also called Ettore Sottsass, built an extension to the town hall in the 1920s when the province was ceded to Italy after the fall of the Austro-Hungarian Empire.

Gamper studied in Vienna, like Sottsass's father though in his case at the Academy of Fine Art and subsequently at the Royal College of Art in London; both were places where Ron Arad was a professor, and where his independence of spirit left an important mark.

In the twenty-first century, designers are reluctant to embark on declamatory statements and manifestos in the way that Sottsass's generation once did. Gamper, perhaps like Konstantin Grcic, or Jasper Morrison, the two designers who he might be regarded as being most closely related in his combination of making skills with cultural resonance, lets his work speak for itself. Without putting it into words, he is suggesting an approach to design which understands the wider cultural picture, an approach which sidesteps the cultural inferiority complex that has overshadowed too much design, and has made too many designers strive for effect, rather than substance.

Deyan Sudjic

Le Corbusier, *La femme au guéridon et au fer à cheval*, 1928, Parigi, Fondation Le Corbusier

Le Corbusier, *La femme au guéridon et au fer à cheval*, 1928, Paris, Fondation Le Corbusier

Domitilla Dardi

Dall'Atanor a Goldrake e ritorno. Il design della trasformazione

From the Atanor to Goldrake and Back. The Design of Transformation

Una delle metafore più potenti utilizzate per parlare del concetto di trasformazione è da sempre quella alchemica. Il mito che ammanta l'alchimista – figura al limite tra lo scienziato (chimico, fisico) e l'umanista (filosofo, artista, poeta) si fonda sulla trasmutazione della materia che da povera diviene preziosa, subendo un processo profondo che incide su qualità fisiche e potenzialità visionarie. Quale sia la materia in questione dipende ovviamente dalle libere interpretazioni che si sono susseguite nel tempo: dai metalli della tradizione medievale e rinascimentale fino alla psiche e alle sue contraddizioni in perenne equilibrio precario analizzate da Carl Gustav Jung che, com'è noto, della metafora alchemica si servì per descrivere il complesso processo di personificazione narrato principalmente nel saggio *Mysterium Coniunctionis*.

Per fini decisamente più prosaici e con pure ambizioni narrative ci serviremo della metafora alchemica per dipanare il filo della trasformazione degli oggetti all'interno del design contemporaneo. La lettura qui proposta si pone così l'obiettivo di guardare al tema della trasformazione sotto l'angolazione dei materiali utilizzati, delle forme che ne incanalano le necessità funzionali, della reversibilità o meno delle azioni progettuali e dell'interazione.

One of the most powerful metaphors used to discuss the concept of transformation has always been that of alchemy. The legend that enshrouds the alchemist – a figure poised somewhere between the scientist (i.e. chemist, physicist) and the humanist (i.e. philosopher, artist, poet) – is based on the transmutation of common material into precious material, which is submitted to a deep process that influences its physical qualities and visionary potential. The type of material in question obviously depends on the free interpretations that have succeeded one another over time: from the metals of the medieval and Renaissance tradition, to the psyche and to its contradictions, forever in precarious equilibrium and analyzed by Carl Gustav Jung. It is commonly known that the Swiss psychiatrist used alchemy as a metaphor to describe the complex process of individuation principally told in the essay *Mysterium Coniunctionis*.

For decidedly more prosaic ends and purely narrative purposes, we shall make use of the alchemical metaphor to unravel the thread of the transformation of objects within contemporary design. The reading offered here is thus aimed at examining the theme of transformation from the point of view of the materials used, the forms that channel their functional needs, and deciding whether or not design actions and interactions are reversible or not.

FASE 1: NIGREDO

Passaggio apparentemente oscuro e drammatico, di rottura drastica, qui la trasformazione coincide con l'atto della combustione della materia, ma anche della cancellazione della forma.

Si tratta di un processo concentrato in un arco preciso di tempo, a volte in una singola esplosiva azione, e i suoi effetti sono irreversibili. È quanto avviene, ad esempio, nel 1974 quando Alessandro Mendini provoca il mondo del design con *Lassù*, una sedia insolitamente alta che viene bruciata in un atto che mette letteralmente al rogo il design nel suo significato tradizionale di "forma che segue la funzione". Sono gli anni in cui il designer fonda la Global Tools, gruppo di lavoro che si pone l'obiettivo di una feroce critica ai maestri del Movimento Moderno e alle loro ideologie. Dalla combustione nascerà non tanto un oggetto carbonizzato, monumento al funzionalismo caduto, quanto quel design postmoderno che rivaluterà il mobile banale, la memoria e l'appartenenza emotiva della condizione umana. **1**

Nel 2004 il discorso viene rinverdito da Maarten Baas che presenta i fossili carbonizzati delle icone storiche nella serie *Where There's Smoke*: la *Rosso-Blu* di Rietveld, la *Hill House Chair* di Mackintosh, la libreria *Carlton* di Sottsass per Memphis sono trasfigurate in resti che fanno immaginare l'atto performativo della distruzione sacrilega dei capolavori della storia. Non più quindi un modello generico di sedia funzionale anonima, o il re-design ironico delle pietre miliari del design, come in Mendini. Bensì un preciso attacco nel quale la trasformazione è re-azione senza più ritorno. Laddove i Radicali avevano aperto la strada, qui l'atto ultimo di un concetto tardo postmodernista arriva alla sua più logica conclusione: la dissoluzione della materia rende impossibile lo svolgimento della funzione e la forma arsa resta sterile testimonianza di un passato che solo in apparenza sembra remoto, ma contro il quale qualcuno sente ancora la necessità di combattere.

A proposito di segni lasciati dal cambio di stato della materia, nella serie *Mutazioni* di Lanzavecchia+Wai viene affrontata quella che nell'immaginario della storia contemporanea rappresenta la combustione assoluta, quella nucleare. In questa serie di

1 Nel 1977 tutto questo verrà consacrato attraverso il lavoro del gruppo Alchimia nel cui manifesto si legge chiaro: "Per Alchimia il suo compito di gruppo che disegna è quello di consegnare agli altri una testimonianza del 'pensiero sentimentale'. La motivazione del lavoro non sta nella sua efficienza pratica, la 'bellezza' dell'oggetto consiste nell'amore e nella magia con cui esso viene proposto, nell'anima che esso contiene".

PHASE 1: NIGREDO

An apparently obscure and dramatic passage, one of drastic rupture, here transformation coincides with the act of the combustion of the material, but also of the putrefaction of the form. This is a process that takes place over a specific period of time, in some cases in a single explosive action, and its effects are irreversible. This is what occurred in 1974, for instance, when Alessandro Mendini provoked the design world with *Lassù*, an unusually tall chair that was burned during an act that literally set fire to the design and its traditional meaning as "form follows function." In those years the designer had founded Global Tools, a work group whose goal was to fiercely criticize the masters of the Modern Movement and their ideologies. Combustion would lead not so much to a charred object, a monument to the fall of functionalism, as to the postmodern design that was to reassess the everyday piece of furniture, the memory and emotional belonging of the human condition. **1**

In 2004 this idea was revisited by Maarten Baas, who presented the charred fossils of the historical icons in the *Where There's Smoke* series: Rietveld's *Red Blue Chair*, Mackintosh's *Hill House Chair*, Sottsass' *Carlton* room divider-bookshelf for Memphis were all transfigured into remains that caused one to imagine the performative act of the sacrilegious destruction of the masterpieces of history. Hence, no longer a generic model of the anonymous functional chair, or the ironic re-design of the milestones of design, such as in Mendini, but, rather, a precise attack in which transformation is a reaction with no hope for return. Where the Radicals had paved the way, here the last act of a late-postmodernist concept arrived at its most logical conclusion: the dissolution of matter makes the implementation of function impossible, and the burned form remains as the sterile proof of a past that only apparently seems remote, but against which there are still those who feel the need to fight. Speaking of the signs that remain when the state of the material changes, the *Mutazioni* series by Lanzavecchia+Wai deals with what in the imaginary of contemporary history represents absolute, i.e. nuclear, combustion. In this 2013 series of carpets

1 In 1977 all this was consecrated through the work of the Alchimia group whose manifesto clearly read that: "For Alchimia its group task in terms of design is to deliver to others a testimony of the 'sentimental thought.' The motivation for the work does not lie in its practical efficiency, the 'beauty' of the object consists in the love and in the magic with which it is proposed, in the soul that it contains."

Maarten Baas, *Smoke*, photo Maarten van Houten

Maarten Baas, *Smoke*, photo Maarten van Houten

Lanzavecchia+Wai, *Mutazioni carpets: Tacua Fukushimae*, 2013, per NODUS

Lanzavecchia+Wai, *Mutazioni carpets: Tacua Fukushimae*, 2013, company NODUS

49

tappeti per Nodus del 2013 la figura che emerge nella tessitura è quella di insetti ingigantiti come attraverso la lente di un appassionato entomologo. I loro nomi di fantasia inquietano: *Tacua Fukushimae* e *Amaurodes Chernobilis*. Del disastro nucleare vengono qui messi in mostra i risultati conseguiti all'impatto violento, quelli sedimentati nella lunga durata degli effetti collaterali. Studi reali testimoniano, infatti, di variazioni genetiche nelle piccole forme di vita che si traducono in moltiplicazioni delle zampe o in variazioni dell'aspetto. Monito o triste presagio di quanto possa accadere all'uomo che tenta di controllare la fisica delle cose oltre la legge di natura?

Sul recupero degli scarti della combustione naturale lavora invece il progetto *Charcoal* commissionato nel 2012 dal Vitra Design Museum allo Studio Formafantasma. Qui, rinata dalle sue ceneri come novella Araba fenice, la materia decomposta diviene elemento di purificazione: il carbone è infatti sostanza attiva in grado di ripulire l'acqua dalle impurità, secondo una proprietà conosciuta e utilizzata sin dall'antichità in Egitto così come in Giappone. La serie di vasi e caraffe vuole essere omaggio a questo uso tradizionale ed esemplifica perfettamente il senso profondo della fase di Nigredo, ovvero quello di essere cesura tra un prima e dopo nettamente separati, ma anche di traghettare la forma e la materia verso la sua fase successiva di distillazione.

FASE 2: ALBEDO

Alla combustione segue in alchimia uno stadio di trasformazione dedicato alla purificazione e alla sublimazione. Lo stato fisico della materia, e conseguentemente la sua forma, subisce un cambio di stato che è sempre unidirezionale e irreversibile, ma meno traumatico e più lento. L'Albedo è una fase che, associata al design delle cose, si presta a raccontare una trasformazione basata sull'intervento diretto sulle materie prime che prendono diverse consistenze e caratteristiche fisiche rispetto a quelle di partenza. Oppure è una fase di sublimazione della forma nella quale il progetto s'interessa al vuoto, al materiale di risulta di un'azione, al recupero dello scarto, al processo sul negativo creato da un positivo.

Andando per ordine, sul fronte della trasformazione dei materiali da sempre il design qui trova un campo fertile d'indagine. Nel Novecento il punto più rivoluzionario in tal senso è quello del grande

designed for Nodus the pattern in the background of the hand-tufted pieces is that of gigantic insects that are as if magnified under a lens by some eager entomologist. Their fictitious names are disturbing: *Tacua Fukushimae* and *Amaurodes Chernobilis*. Represented here is the outcome of the nuclear disaster at the time of the violent impact, sedimented in the long duration of the side effects. Actual studies describe genetic variations in small forms of life that are translated into multiplications of legs or in changes in appearance. Might these be the warnings or sad omens of what could happen to humankind if it attempts to control the physical nature of things with no respect for the laws of nature? The project called *Charcoal*, commissioned in 2012 by the Vitra Design Museum from Studio Formafantasma, instead focused on the remains of natural combustion. Reborn from its ashes like a latter day Phoenix, the decomposed material becomes an element of purification: charcoal is indeed an active substance capable of cleansing the water of any impurities, according to a property that has been known of and used since antiquity in Egypt as well as in Japan. The series of charred vases and carafes are intended as a tribute to this tradition, and it perfectly exemplifies the deep sense of the Nigredo phase, that is, that of being an interruption between a very distinct before and after, but also that of transporting form and matter toward its subsequent distillation phase.

PHASE 2: ALBEDO

In alchemy, combustion is followed by a state of transformation devoted to purification and sublimation. The physical state of the material, and consequently of its form, undergoes a change of state that is always unidirectional and irreversible, but less traumatic and slower. The Albedo phase, which associates design with objects, lends itself to describing a transformation based on the direct intervention on the raw materials, which take on different consistencies and physical features in respect to the initial ones. Or else it is a phase in which the sublimation of the form takes place, when the project is drawn to the void, to the material resulting from an action, to the recovery of the waste, to the process on the negative created by a positive.

Step by step, as concerns the transformation of materials, design has always offered a fertile field of inquiry. In the twentieth century the most revolutionary moment in this sense was that

boom delle plastiche polimeriche negli anni Cinquanta, le quali rendono possibile la creazione di oggetti a stampaggio e iniezione nati quasi per magia direttamente dalla macchina. Più di recente, l'origine chimica inorganica e petrolifera di tali polimeri rende necessario lo sviluppo di una ricerca guidata da fini di sostenibilità ambientale e di speculazione scientifica. Una delle risposte è nella trasformazione delle plastiche chimiche mediante l'azione di virus, funghi e batteri, sostanze vive in grado di digerire letteralmente la grande massa degli scarti petroliferi trasformandoli in nuovo materiale organico. Il problema è stato analizzato negli ultimi anni da molti autori e uno dei risultati più ricchi in termini di sviluppo è quello raggiunto dall'Officina Corpuscoli di Maurizio Montalti. Il designer-ingegnere ha messo a punto nel 2014 il progetto *The Growing Lab* con l'avveniristico proposto di sostituire il concetto di produzione con quello di coltivazione. L'idea è quella di far lavorare i miceli, parti dei funghi vegetali in grado di sintetizzare materiale organico simile alla plastica chimica, in coltivazioni programmate in grado di produrre piccoli oggetti che potrebbero fornire un'alternativa al tradizionale concetto di prodotto industriale.

Un caso a sé è quello della materia che disvela nel tempo nuove caratteristiche fisiche e sensoriali grazie a un progetto che prevede un atto performativo. Nella *Blueware collection* del 2010, ad esempio, lo Studio Glithero interviene su ceramiche pigmentate fotoreattive: posizionando un fiore o un qualsiasi oggetto sulla superficie della ceramica e lasciandola in esposizione alla luce essa assumerà un colore blu intenso, lasciando in bianco la sagoma della figura emergente. Odoardo Fioravanti, invece, in *Verderame* (2009) sfrutta le naturali caratteristiche di ossidazione del rame per progettare un pavimento che, grazie al passaggio e all'usura, mostra un decoro che apparirà nel lungo periodo in un progetto pensato in costante divenire.

Sulla sublimazione della forma insiste un diverso gruppo di progetti incentrati sull'eliminazione, sulla derivazione da un taglio o sul vuoto. Una lezione che da Mangiarotti risale sino a Paolo Ulian, soprattutto seguendo il filo conduttore del marmo. Dal suo taglio viene progettato il complesso delle componenti che poi genereranno la forma finale. Così come nell'insuperabile *16 animali* di Enzo Mari per Danese (1958) dove ogni segno/taglio del blocco di legno genera una linea che è sia in positivo che in negativo generatrice di una forma. Se questo vale nel segno a tratto, può essere applicato anche in tridimensionale nel progetto di pieni e

of the boom of polymer plastic in the 1950s; this made it possible to use injection moulding to create objects, which seemed to be born as if by magic straight from the machine. More recently, the inorganic chemical and oil-based origin of these polymers has called for the development of research driven by the goals of environmental sustainability and scientific research. One of the answers lies in the transformation of chemical plastic via the action of viruses, fungi and bacteria, living substances capable of digesting the great mass of oil-based waste and transforming it into new organic material. This issue has been analyzed in recent years by many authors, and one of the best results in terms of development has been achieved by Maurizio Montalti's Officina Corpuscoli. In 2014 the designer-engineer honed the project *The Growing Lab* with the futuristic goal of replacing the concept of production with that of cultivation. The idea was to get the mycelia to work; these are parts of the plant fungi capable of synthesizing organic material similar to chemical plastic, in programmed cultivations that are in turn capable of producing small objects that could provide an alternative to the traditional concept of the industrial product.

A separate case in point is that of the material that in time reveals new physical and sensory characteristics thanks to a project involving a performative act. In the 2010 *Blueware Collection*, for instance, Studio Glithero worked with photosensitive ceramic material: by positioning a flower or any such object on the surface of the ceramic material and exposing it to light, as the object turns dark blue, the shape of what was placed on the surface stays white. In *Verderame* (2009), Odoardo Fioravanti exploited the natural process of copper oxidation to design a floor whose decoration is based on its use and even its wear and tear, so that in the long run it is an ongoing design project.

Another group of projects deals with sublimation, focused on elimination, on derivation from cut to void. This idea began with Mangiarotti and has reached as far as Paolo Ulian, especially by following the common thread of the marble. The assembly of components is determined based on how the marble is cut, and this will generate the final form. This is what we see in Enzo Mari's *16 animali* for Danese (1958), in which each sign/cut in a block of wood generates a line that, whether positive or negative, generates a form. What can be done with a line drawing can also be applied in 3-D in a design that includes fulls and voids. Andrea Anastasio, in his series *Mimetici* (2014),

The Growing Lab – Mycelia © Officina Corpuscoli | Maurizio Montalti

The Growing Lab – Mycelia © Officina Corpuscoli | Maurizio Montalti

vuoti. Andrea Anastasio nella sua serie *Mimetici* (2014) ragiona non solo sul pieno dei volumi di una natura morta, ma soprattutto sui vuoti che possono, ribaltandone il senso, essere il centro della funzione. Vasi e oggetti vari posti su un vassoio occupano uno spazio col proprio volume, ma creano al tempo stesso il vuoto che può essere riempito da altri oggetti.

La sublimazione assoluta della forma diviene così il progetto del vuoto.

FASE 3: RUBEDO

Infine il compimento della metamorfosi, l'identificazione della pietra filosofale o materia rossa, è quella che in alchimia è conosciuta come la fase della Rubedo. In realtà il processo lineare sinora descritto qui compie un capovolgimento e un ripiegamento su se stesso: come in un nastro di Möbius inizio e fine coincidono in una visione circolare nella quale si scopre che il vero segreto della trasformazione è il cambiamento costante, continuato nel tempo e reversibile. La pietra filosofale è dunque la ricerca continua di trasformazione e il progettare la trasformazione stessa. Nel design questo coincide con l'idea di Instruction for Use design, il design delle istruzioni, degli interfaccia, delle interazioni. Qualunque progetto preveda un kit di montaggio, il DIY, la libertà di interpretazione combinatoria è il design della trasformazione in senso compiuto. L'utente diviene quindi il protagonista attivo del processo; alla forma chiusa viene preferita quella aperta, al fine ultimo si sostituisce il processo. **2**

2 Vedi al riguardo: Giampaolo Fabris, *Il nuovo consumatore: verso il Postmoderno*, Franco Angeli, Milano 2003

Già nel moderno vennero anticipati progetti di tal genere, basti pensare alla *Crate Furniture* di Gerrit Rietveld del 1934 o alla *Eames Storage Unit* del 1951. Nei radicali anni Sessanta e Settanta questo verrà ripreso con finalità diversamente politiche e sociali dall'*Autoprogettazione* di Enzo Mari (1974) e dall'*Abitacolo* di Munari (1971). In entrambi i casi il kit di montaggio prevede il coinvolgimento dell'utente, per adattare l'oggetto nel tempo alle sue mutate esigenze (Munari) o per fini propedeutici ed educativi (Mari). Ma il successo della formula combinatoria/progettuale arriverà a livello economico solo quando questa verrà associata al risparmio.

Negli anni Settanta la metafora della tecnicizzazione a oltranza

does not just ponder the fullness of the volumes in a still life, but above all the voids, which can, by switching around their meaning, become the heart of the function. Various vases and objects placed on a tray occupy a space with their own volume, but at the same time they create the void that can be filled with other objects.

Hence, the absolute sublimation of the form becomes the design of the void.

PHASE 3: RUBEDO

Lastly, the task of metamorphosis, the identification of the philosopher's stone or red matter, is referred to in alchemy as the Rubedo phase. What happens is that the linear process hitherto described is overturned and folded back on itself: like in a Möbius strip, beginning and end coincide for a circular vision in which we discover that the true secret behind the transformation is the constant change, which continues in time and is reversible. The philosopher's stone is thus the constant quest for transformation and the design of transformation itself. In design, this coincides with the idea of Instruction for Use Design, the design of instructions, interfaces, interactions. Any project that includes an assembly kit, DIY, freedom of combinatory interpretation is the design of transformation in a complete sense. Use thus becomes the active protagonist of process; an open form is chosen over a closed one, the ultimate aim is to substitute said process. **2**

2 See Giampaolo Fabris: *Il nuovo consumatore: verso il Postmoderno*, Franco Angeli, Milan, 2003

Projects of this type were presented as early as the modern period: cases in point are Gerrit Rietveld's 1934 *Crate Furniture*, and the 1951 *Eames Storage Unit*. In the radical 1960s and 1970s this would be referred back to with political and social ends, however, by Enzo Mari's *Autoprogettazione* (1974) and Munari's *Abitacolo* (1971). In both cases, the assembly kit required the involvement of the user in order to adapt the object in time to its changed needs (Munari) or for preliminary and educational purposes (Mari.) Yet the success of the combinatory/design formula only accomplishes an economic level when this is associated with savings. In the 1970s, the metaphor for unrestrained technology based on constant and reversible transformation was embodied by the Transformer in Manga literature, the true postmodern hero of

Dall'Atanor a Goldrake e ritorno. Il design della trasformazione

From the Atanor to Goldrake and Back. The Design of Transformation

basata sulla trasformazione costante e reversibile è incarnata dal Transformer della letteratura Manga, vero eroe postmoderno del cambiamento. Nella saga di *Goldrake* – trilogia originariamente affiancata all'altro transformer, *Mazinga* – del 1973 **3** è già sintetizzato il mito della trasformazione contemporanea. Qui

3 Il primo Manga a fumetti di *Go Nagai* è del 1973, seguito dalla serie a cartoni animati del 1975 - 78

coesistono la molteplicità di componenti e relative prestazioni (come non ricordare l'alabarda spaziale, il maglio perforante, le lame rotanti). Ma anche la mutazione di genere: il perfido Gandal è essere mutante ambivalente, in coesistenza transgender con la geniale moglie Lady Gandal. Il transformer della letteratura nipponica è la vulgata popolare della tendenza tecnologica a far convivere il massimo delle prestazioni nel minimo dello spazio.

D'altra parte anche Rem Koolhaas utilizza la metafora Transformer per il suo padiglione multifunzionale – commissionato da Prada e inaugurato a Seul nel 2009 –, un grande poliedro che ruotando assume diverse destinazioni d'uso, dalla sala per esposizioni d'arte e sfilate di moda al cinema/teatro.

Conseguenza della filosofia transformer è l'abbattimento delle barriere disciplinari, divenute trasparenti come i confini geografici tra stati, sanciti da logiche politiche ed economiche più invalicabili dei muri fisici. O superate dalla visione di artisti e scienziati che sperimentano, sempre un po' come alchimisti del terzo millennio dentro l'Atanor, la fornace dell'eterno divenire.

Domitilla Dardi

change. In the 1973 **3** *Goldrake* saga – a trilogy originally associated with another transformer, *Mazinga* – the myth of contemporary transformation was already synthesized. A multiplicity

3 *Go Nagai*'s first Manga comic is dated 1973, followed by a series of cartoons made in 1975 - 78

of components and relative services coexisted here (how could we ever forget the double harken, the screw crasher punch, the rotating

blades.) But so does the mutation of gender: the evil Gandal is an ambivalent mutant being, in transgender coexistence with his brilliant wife Lady Gandal. The transformer of Japanese literature is the popular language of the technological inclination to combine the height of function with as little space as possible.

On the other hand, even Rem Koolhaas uses the Transformer metaphor for his multifunctional pavilion – commissioned by Prada and inaugurated in Seoul in 2009 –, a large polyhedron that by rotating acquires different uses, from an exhibition room for art and fashion shows to a cinema/theater.

The consequence of the transformer philosophy is the breaking down of disciplinary barriers, which have become as transparent as the borders between countries, sanctioned by political and economic rationales that are even more unsurpassable than physical walls. Or overcome by the vision of artists and scientists who conduct experiments, always somewhat like third millennium alchemists inside Atanor, the kiln of the eternal becoming.

Domitilla Dardi

Pelin Tan

Disastro collettivo

Collective Disaster

"La creazione della società istituente come società istituita è ogni volta mondo comune – kosmos koinos: posizione degli individui, dei loro tipi, delle loro relazioni e delle loro attività; ma anche posizione delle cose, dei loro tipi, delle loro relazioni, dei loro significati – gli uni e le altre presi ogni volta nei ricettacoli e nei contesti di riferimento istituiti come comuni, che li fanno essere insieme".

Cornelius Castoriadis

"The creation of instituting society, as instituted society, is each time a common world (kosmos koinos), the positing of individuals, of their types, relations and activities; but also the positing of things, their types, relations and signification – all of which are caught up each time in receptacles and frames of reference instituted as common, which make them exist together."

Cornelius Castoriadis

È evidente che siamo davanti a un boom di movimenti locali che generano collettivi autorganizzati dotati di reti translocali, in grado di creare disseminazione rizomatica e nuove distribuzioni del surplus. In diverse città, d'altra parte, "Occupy" introduce un ambito di pratica condivisa delle differenze emerse dalle pratiche esistenti di resistenza collettiva. La differenza tra i movimenti del XX secolo e le proteste no-global che hanno accompagnato i movimenti Occupy si è articolata in forme inedite di solidarietà, network translocali e tipi di conoscenza e pedagogia trasversale. Parallelamente, l'arte e le pratiche socialmente impegnate di design si mettono alla prova da un punto di vista sia funzionale che formale, ma si inseriscono anche nel dibattito socio-politico. Secondo Franco "Bifo" Berardi, il movimento Occupy ruota attorno alla riscoperta del corpo sociale e a un'empatia capace di generare nuove alleanze. [1] Dunque, parliamo della possibilità di una conoscenza alternativa creata da noi stessi, un nuovo potere istituen-

We are in a concrete phase of local movements that offer self-organized collectives attached to trans-local networks, which are able to create rhizomatic dissemination and surplus. On the other hand, "Occupy" in different cities introduces a realm of the common practice of differences that are already gathered from the base of the existing collective resistance practices. The difference between twentieth-century movements and the anti-global protests that followed up with Occupy movements has grown into unique forms of solidarity, trans-local networks, and types of transversal knowledge, pedagogy. Accordingly, socially engaged art and design practices challenge themselves both functionally and formally, but they are also discursive in a socio-political world. For Franco "Bifo" Berardi Occupy movements is a pleasure of the other body, and an empathy of the other alliances. [1] Thus, we do speak about the possibility of an uncommon knowledge that we ourselves are creating, a new

[1] Pelin Tan and Önder Özengi (LaborinArt), *Running Along the Disaster. A Conversation with Franco "Bifo" Berardi*, "e-fluxjournal", NewYork 2014. www.e-flux.com/journal/running-along-the-disaster-a-conversation-with-franco-%E2%80%9Cbifo%E2%80%9D-berardi

[1] Pelin Tan and Önder Özengi (LaborinArt): *Running Along the Disaster. A Conversation with Franco "Bifo" Berardi*, "e-flux journal," New York, 2014. www.e-flux.com/journal/running-along-the-disaster-a-conversation-with-franco-%E2%80%9Cbifo%E2%80%9D-berardi

te e una manodopera collettiva del tempo presente. Per Simon Critchley: "Possiamo parlare di Occupy. Occupy non è rivoluzione – è ribellione – ma è molto interessante, e ha messo a disposizione una serie molto variegata di tattiche politiche. Occupy è qualcosa di molto familiare a tante persone della sinistra anarchica... Io credo in una serie di azioni di basso livello, quasi invisibili, che a un certo punto raggiungono la visibilità e in quella fase hanno davvero effetto. Come direbbe Gramsci, la politica non è una guerra di movimento o un assalto frontale al potere. È una guerra di posizione, tenace e prolungata. Che richiede ottimismo, astuzia e pazienza". **2**

2 Simon Critchley, Pelin Tan, *Breaking the Social Contract*, "e-flux journal" 38 2012, www.e-flux.com/journal/breaking-the-social-contract

Come possono reti e strutture collettive autorganizzate e autogestite nello spazio urbano come i movimenti di Occupy ispirare modelli economici, soprattutto per quel che riguarda la generazione e ridistribuzione della ricchezza? E come possono questi spazi, in condizioni eccezionali, offrire "conoscenza comune" in base alla pratica della "messa in comune"? Al giorno d'oggi, discutiamo di condizioni di lavoro precarie e del loro effetto sullo sforzo cognitivo. Al momento, la nostra comprensione della natura del lavoro precario è basata in gran parte su una impostazione dell'orario lavorativo che porta allo sfruttamento della manodopera e alla mancanza di sicurezza dell'impiego, ma queste condizioni non corrispondono necessariamente alla nostra esperienza in diverse tipologie di lavoro. Piuttosto, il lavoro precario e il conflitto produttivo si presentano in modo del tutto diverso all'interno delle reti e strutture autonomistiche. Possiamo trovarne esempi in diverse geografie, quando vengono attivamente cercati e sviluppati collettivi e strutture anonimi in cui il lavoro si basa sulla collaborazione relazionale e l'autorganizzazione. Ci sono casi pratici di strutture di lavoro autorganizzato che funzionano bene da sole, non solo perché sostengono la produzione ma perché mantengono reti fluide di collaborazione e collettivismo creativi, anche se magari sono radicate in una specifica collocazione territoriale. Social Kitchen&Hanare (Kyoto), Souzy Tros (Athens), Campus in Camps (West Bank), Architecture For All (Istanbul), Valentina Karga (Berlin/Athens) sono architetti, artisti e attivisti che fondano collettivi come reazione all'attuale crisi economica, la colonizzazione spaziale che non può essere separata da quella politica.

institing power and a collective labor at the present time. For Simon Critchley: "We can talk about Occupy. Occupy is not revolution – it is rebellion – but it is very interesting and it has made a very different set of political tactics available. Occupy is something very familiar to many of the people on the anarchist left...I believe in a low-level, almost invisible series of actions, which at a certain point reach visibility and then really have an effect. As Gramsci would say, politics is not a war of maneuver or frontal assault on power. It is a tenacious and long-lasting war of position. This requires optimism, cunning and patience." **2**

2 Simon Critchley, Pelin Tan: *Breaking the Social Contract*, "e-flux journal" 38 2012, www.e-flux.com/journal/breaking-the-social-contract

How can self-organized, self-regulating networks and collective structures such as the Occupy movements in urban space inspire economic models, especially where the generation and re-distribution of wealth are concerned? And how can these spaces, under exceptional conditions, serve as "common knowledge" based on the practice of "commoning?" Nowadays, we discuss precarious working conditions and their effects on cognitive labor. Currently, our understanding of the nature of precarious labor is mostly based on a time/work frame that leads to labor exploitation and lack of employment security, but these conditions do not necessarily correspond to our relative experience in different work types. Rather, precarious labor and the conflict of production exist in a totally different way within autonomous structures and networks. We can witness some examples of this in different geographies, where autonomous structures and collectives whose labor is based on relational collaboration and self-organization are actively being pursued and developed. There are practical cases of self-organized labor structures managing well on their own, not only to sustain production but also to maintain fluid networks of creative collectivism and collaboration even though they might be based in a specific local territorial condition. Social Kitchen&Hanare (Kyoto), Souzy Tros (Athens), Campus in Camps (West Bank), Architecture For All (Istanbul), Valentina Karga (Berlin/Athens) are architects, artists and activists whose work is based on collectives as reactions to the current economic crisis, spatial colonization that cannot be separated from the political.

Disastro collettivo   Collective Disaster

Il collettivo Social Kitchen&Hanare, con sede a Kyoto, gestisce un'economia eterogenea concentrata sullo scambio di manodopera e su una caffetteria per le spese infrastrutturali di base. **3** Lo sfratto è stata una delle ragioni principali per la formazione di questo collettivo, che ha poi trovato uno spazio poco costoso in cui gestire una caffetteria che funziona grazie alla collaborazione di agricoltori, ricercatori, artisti e designer che prestano tutti la loro manodopera e la loro conoscenza all'organizzazione di azioni per la giustizia urbana, eventi, gruppi di lettura e dibattiti nella stessa sede di Social Kitchen. Dal punto di vista finanziario, il collettivo Social Kitchen&Hanare è un'attività autosufficiente che affronta problemi sociali urgenti della vita quotidiana. Un luogo simile è stato creato nello spazio urbano di Atene sotto l'austerità, la sorveglianza schiacciante e le politiche migratorie, grazie all'artista Maria Papadimitriou e alla sua collaborazione con artisti, architetti, designer, dipendenti di ONG e migranti. Si chiama Souzy Tros ed è nato come spazio di gastronomia/cucito/arte/design focalizzato sullo scambio gratuito di manodopera **4**. La vecchia questione del ruolo dell'arte nella società diventa più importante sullo sfondo della recente crisi economica globale, dei governi neoliberisti autoritari e dell'etica sociale sempre più fragile. Cosa significano per noi le pratiche di Souzy Tros o Social Kitchen? Ci ricordano che esistono prospettive comunitarie da immaginare, pratiche di collettività da inventare, metodologie alternative per la struttura istituzionale e la pedagogia, e la produzione artistica può introdurre diversi modelli di lavoro che trascendono il tempo e lo spazio e possono ingenerare una disseminazione del surplus.

Tuttavia, molti architetti e designer dipendono ancora da pratiche di studio e dal mercato globale neoliberista; alcuni di loro stanno formando collettivi che scambiano manodopera e creano pratiche basate su una metodologia trasversale. Non solo la crisi economica che rafforza gli studi di grandi dimensioni ma anche i movimenti Occupy, nella loro ricerca di alternative all'austerità e reti di solidarietà translocali, preparano nuove strade per praticare il design. Lo studio di Kyoto RAD (Research for Architecture Domain) descrive le esigenze della futura pratica dell'architet-

3 In 2012, con il sostegno del Japan Foundation Fund, ho studiato gli spazi gestiti da artisti e i collettivi in Giappone basandomi sulla mia linea principale di ricerca su quale tipo di pratica da loro attuata possa creare forme di giustizia urbana e stili di vita alternativi

4 http://souzytros.wordpress.com

The Kyoto-based collective Social Kitchen&Hanare runs a heterogeneous economy focused on the exchange of labor and a café for basic infrastructure expenses. **3** Eviction was one of the main reasons for the formation of this collective when they found a cheap space to run a café that combines collaboration with farmers, researchers, artists and designers that all shift their labor and knowledge in organizing action for urban justice, as well as events, reading groups and discussions at Social Kitchen space. Social Kitchen&Hanare collective are a financially self-sufficient practice that deals with the pressing social issues of everyday life. Under austerity and pressing surveillance and migration policies in the urban space of Athens, a similar space was founded thanks to the artist Maria Papadimitriou and her collaboration with artists, architects, designers, NGO workers and immigrants, titled Souzy Tros, established as a food/sewing/art/design space that focuses on the free exchange of labor. **4** The old question about the role of art in society becomes more important in this example against the recent global economic crisis, authoritarian neo-liberal governments and weakening social ethics. What do the practices of Souzy Tros or Social Kitchen mean to us? They remind us that there are future imaginations on communities, there are practices of collectivity to be invented, there are alternative methodologies for institutional structure and pedagogy that artistic production can introduce, various labor production that is beyond time-space, and also the dissemination of surplus.

3 In 2012, with the support of The Japan Foundation Fund, I researched artist run spaces and activist collectives in Japan based on my research focus question of what kind of practice they produce that creates forms of urban justice and alternative livelihood

4 http://souzytros.wordpress.com

However, many architects and designers still depend on office practices and the neo-liberal global market; some of them are forming collectives that exchange labors as well as create practice based on transversal methodology. Not only the economic crisis that empowers large-scale offices but also the Occupy movements, in their search for alternatives to austerity and trans-local solidarity network, pave new ways of practice for design. The Kyoto-based office RAD (Research for Architecture Domain) describes the need for the future practice of architecture: "The forces of the economic crisis that influence the built environment, the difficulties of the co-existence of small offic-

Pelin Tan

Pelin Tan

tura: "Le forze della crisi economica che influenzano l'ambiente antropizzato, le difficoltà di coesistenza di piccoli studi e giovani architetti, le considerazioni di criticità a riguardo delle politiche istituzionali, e gli uffici commerciali di architettura di massa sono alcune delle ragioni per cui i piccoli studi cercano nuovi tipi di pratiche." 5 Molti giovani architetti di diverse parti del mondo hanno iniziato a fondare questi collettivi orientati alla ricerca, che hanno smesso

5 *Research for Architecture Domain*, intervista di Pelin Tan, "Domusweb", 2012. www.domusweb.it/en/architecture/2012/11/07/studio-visit-02-research-for-architecture-domain.html

di seguire le pratiche abituali del design architettonico; coinvolgono comunità, creano strumenti ad hoc di progettazione sperimentale, curano mostre e seminari formativi a livello translocale, e si occupano di molte attività diverse in cui la conoscenza dell'architettura incontra altre discipline. Come restare fuori dal sistema creativo neoliberista, che può facilmente assorbire queste pratiche sfruttando ulteriore forza-lavoro e il nuovo intelletto generale delle soggettività cognitive? Questa rimane una domanda fondamentale. Secondo me, salvaguardare le posizioni etiche e politiche del comunitarismo, e continuare a giocare con la metodologia trasversale di pratiche concrete capaci di modificare le istituzioni darebbe forza all'architettura e al design che intendono creare alternative e rimanere da questa parte della barricata.

Dalla sua sede nei "territori occupati" della Cisgiordania, l'attività di Decolonizing Architecture (DAAR) e la sua piattaforma Campus in Camps nel campo profughi di Dheisheh sono gestite dagli architetti Alessandro Petti e Sandi Hilal. La loro attività, che trae spunto dall'ambito dell'architettura, si concentra sulla realtà dei rifugiati palestinesi creando spazi comuni e interpretando il concetto di "campo" come spazio potenziale che trascende la cittadinanza neoliberista e la dicotomia tra spazio pubblico e privato. DAAR gestisce anche una residenza di ricerca che collabora con ricercatori di diverse discipline, rifugiati, attivisti e rappresentanti dei diritti civili, usando metodologie di ricerca urbana e architettonica militante per identificare spazi comuni nei campi dei rifugiati e negli ex edifici militari. Lavorando con gli abitanti del campo Al-Fawwar, per esempio, hanno progettato un piccolo spazio pubblico che è stato poi realizzato da giovani rifugiati e famiglie palestinesi. Uno spazio in cui scambiare le esperienze della vita quotidiana e gli impegni locali può essere la forma più importante di resistenza alla colonizzazione. Campus in Camps

es and young architects, the consideration of criticality towards institutional policies, and mass architectural mainstream offices are some of the urgent reasons that small offices search for new types of practices." 5 Many young architects from different geographies started to form such research-based collectives, which do not follow the usual architectural design practice any more; engaging communities, creating experimental ad hoc design tools, curating exhibitions, educational workshops at trans-local levels, and many different requirements as such where the knowledge of architecture engages various fields. How to remain outside of the neo-liberal creative system that can easily absorb such practices by exploiting further labor forces and the new general intellect of cognitive subjectivities? This remains as an important question. I guess to remain and guard the ethical and political stances of commoning, and continue to toy with the transversal methodology of ad hoc practices that can modify institutions would empower architecture and design that want to create alternatives and remain on the other side.

5 *Research for Architecture Domain* interview by Pelin Tan, "Domusweb," 2012. www.domusweb.it/en/architecture/2012/11/07/studio-visit-02-research-for-architecture-domain.html

Based in the "occupied territories" of the West Bank, Decolonizing Architecture (DAAR) practice and its platform Campus in Camps in Dheisheh refugee camp are led by architects Alessandro Petti and Sandi Hilal. Their activity, which draws on the field of architecture, focuses on the reality of Palestinian refugees creating common spaces and perceiving the notion of the "camp" as a potential space beyond neo-liberal citizenship and the dichotomy of public vs private space. DAAR also runs as a research residency that collaborates with different background researchers, refugees, activists and civil representatives in using militant urban and architectural research methodologies to identify common spaces in the refugee camps and former military buildings. Working with the inhabitants of Al-Fawwar camp, for example, they designed a small public space which was then realized by young Palestinian refugees and families. A space for the exchange of everyday life experiences and local engagements can be the most important form of resistance against colonization. Campus in Camps is an educational platform (initiated by DAAR) which involves younger generation Palestinian refugees in Dheisheh Camp and is contributed to internationally and lo-

Disastro collettivo

Collective Disaster

è una piattaforma educativa (avviata dal DAAR) che coinvolge rifugiati palestinesi della generazione più giovane a Dheisheh Camp e riceve il contributo internazionale e locale di artisti, architetti e ricercatori di varie discipline. **6** Il recente progetto *The Concrete Tent*, uno spazio di incontro di cemento costruito con la partecipazione del campo, disegnato e prodotto dalla piattaforma, mira a creare uno spazio comunitario per l'apprendimento collettivo. La "tenda" del titolo allude anche al passato politico collettivo dei rifugiati palestinesi, che si insediarono nelle tende dopo il giorno della Nakba: oggi le tende sono diventate edifici di cemento. L'idea della tenda espone e salvaguarda l'eredità di questi campi, che ormai sono in qualche modo urbanizzati. Campus in Camps descrive così il ruolo dell'architettura in queste azioni comunitarie: "L'architettura è in grado di registrare le varie trasformazioni che rendono il campo un patrimonio storico. Nei campi, inoltre, ogni singola trasformazione architettonica è una presa di posizione politica. Così, l'architettura registra i cambiamenti politici." Il processo di costruzione della tenda di cemento è stato interrotto da una famiglia che non approvava l'accordo sull'uso del suolo: "Dopo dieci giorni, il membro di una grande famiglia ha impedito agli operai di lavorare nel cantiere. La famiglia, il comitato popolare e i leader del campo hanno passato diverse settimane a tentare di trovare una soluzione. Tuttavia, il membro di quella famiglia ha affermato che, nonostante l'iniziale accordo per garantire l'uso collettivo della terra nei due anni successivi, aveva deciso di venderla, proprio dopo essersi reso conto che quel terreno abbandonato stava ricevendo una nuova attenzione. In una sola notte tutti i rifugi sono stati demoliti". **7** Grazie allo sforzo della giovane generazione di Campus in Camps, la tenda è stata ricostruita. Penso che l'intero processo conflittuale interno alla comunità faccia parte dello sviluppo del dibattito nel campo, oltre che della sua salvaguardia come pratica decolonizzatrice.

Valentina Karga, architetto/artista di Atene/Berlino, ha fondato The Summer School for Applied Autonomy, un'iniziativa di ricerca che tratta "la complessità delle competenze tecniche ma anche gli aspetti sociali, politici e affettivi coinvolti nella vita autonoma. Il suo funzionamento è in gran parte autosufficiente, propende per la sostenibilità ambientale, ed è basato su circuiti di fee-

6 www.campusincamps.ps

7 www.campusincamps.ps/projects/the-concrete-tent

cally by artists, architects, and researchers from various fields. **6** The recent *The Concrete Tent* project, which is a concrete meeting place built with the participation of the camp designed and produced by the platform, aims to create a communal space for collective learning. Tent also gives reference to the collective political past of Palestinian refugees who first settled in the tents after Nakba day: these have now been transformed into concrete buildings. The idea of the tent also presents and preserves the heritage of these camps which are somehow urbanized now. Furthermore, Campus in Camps describes the role of architecture in these communal acts: "Architecture is able to register various transformations that make the camp a heritage site. And in camps every single architectural transformation is a political statement. Therefore, architecture registers political changes." The process in building this concrete tent was interrupted by a family who did not approve of the land-use agreement: "After ten days, one member of the large family prevented the laborers from working on the site. The family, the popular committee, and leaders of the camp spent several weeks trying to find a solution. However, this family member stated that, despite the initial agreement to guarantee the collective use of the land for the two coming years, he had now decided to sell it, realizing that new attention was brought on this abandoned land. In a single night all the shelters were demolished." **7** Thanks to the effort of the younger generation of Campus in Camps, the tent was rebuilt. I think the whole process of conflict in the community is part of developing the discourse in the camp as preserving it as a decolonizing practice.

6 www.campusincamps.ps

7 www.campusincamps.ps/projects/the-concrete-tent

Valentina Karga, an architect and artist from Athens/Berlin, founded The Summer School for Applied Autonomy, which is a research initiative concerning "the complexity of technical know-how but also the social, political and affective aspects involved in autonomous living. Its functioning is largely self-sufficient, tending towards environmental sustainability, and it is based on feedback loop circuits where its different outputs (from garbage to words) become inputs that re-feed the social and material body of the garden." **8** The school's curriculum is founded on the economy. This initiave hosts artists and architects who

8 http://www.valentinakarga.com

Pelin Tan

Pelin Tan

dback in cui i suoi diversi output (dai rifiuti alle parole) diventano input che rialimentano il corpo sociale e materiale del giardino". **8**

8 http://www.valentinakarga.com

Il piano di studi della scuola è fondato sull'economia. Questa iniziativa ospita artisti e architetti che sono interessati alla descolarizzazione, alle infrastrutture e all'autonomia. In questo progetto, Karga si occupa di inventare nuovi approcci collaborativi all'arte e al design in rapporto all'ambiente e alla società.

Molti di questi gruppi e reti sono impegnati nella pedagogia urbana basata su strumenti di responsabilizzazione e autoapprendimento, insegnamento, attivismo, ricerca, rivendicazione di spazi urbani alternativi, social media, agricoltura urbana, e riqualificazione dei centri cittadini contro aggressivi progetti immobiliari. Come se non bastasse, intraprendono attività quotidiane in cui collaborano con operai a tempo determinato, senzatetto e comunità diseredate, per creare strutture di sostegno per questi gruppi. Al di là delle loro strutture autonome, cercano anche di creare modelli di pensiero critico connessi a nuove forme di relazioni sociali. Le suddette pratiche di comunitarismo e potenziali alleanze istantanee sono importanti per analizzare il funzionamento delle strategie di scambio di manodopera che mettono in campo. In genere sono basate su manodopera fisica e immateriale, e non c'è separazione tra queste attività produttive. Qui, le forze alienanti del lavoro immateriale spariscono e il surplus viene gestito in base all'etica piuttosto che agli imperativi del mercato capitalista. In questo contesto, acquistano significato economie comunitarie e processi di disseminazione del surplus ispirati alle significative teorie e ricerche dell'economista-geografo J. K. Gibson-Graham, in base a cui un'azione politica collettiva esige che "si lavori collaborativamente per produrre organizzazioni economiche alternative e spazi adeguati". Dopo aver fornito esempi empirici di economia comunitaria, spiega così l'"azione collettiva": "Il 'collettivo' in questo contesto non evoca il raggruppamento di soggetti simili, né il termine 'azione' dovrebbe implicare un'efficienza che abbia origine da esseri intenzionali o che si distingua dal pensiero. Stiamo cercando una nozione ampia e distribuita di azione collettiva, al fine di riconoscere e tenere aperte nuove possibilità di connessione e sviluppo". **9** In breve, un'azione collettiva esige un'etica di economia comunitaria, che

9 J. K.Gibson – Graham, *The End of Capitalism (As We Knew It)*, University of Minnesota Press, Minneapolis - Londra, 2006

are interested in deschooling, infrastructure and autonomy. In this project, Karga deals with inventing new collaborative art and design attitudes with regard to the environment and society.

Most of these groups and networks are involved in urban pedagogy based on tools of empowerment and self-learning, teaching, acting, research, reclaiming alternative urban space, social media, urban farming, and the requalification of city centers against aggressive real estate development plans. Additionally, they also undertake daily activities in which they collaborate with temporary workers, the homeless and disenfranchised communities, to create support structures for these groups. Besides their autonomous structures, they also try to create models of criticality connected to new forms of social relations and commoning. The aforementioned practices of assemblage and potential instant alliances are important to consider how the labor exchange strategies they operate function. They are generally based on immaterial and physical labor, and there is no separation between these labor productions. Here, the alienating forces of immaterial labor disappear, and the surplus is handled on the basis of ethics rather than capitalist market imperatives. Within this context, community economies and surplus dissemination processes inspired by economist-geographer J. K. Gibson-Graham's theory and research are meaningful. For them a political collective action requires "working collaboratively to produce alternative economic organizations and spaces in place." By providing empirical examples of community economy for them "collective action" is as follows: "The 'collective' in this context does not suggest the massing together of like subjects, nor should the term 'action' imply an efficacy that originates in intentional beings or that is distinct from thought. We are trying for a broad and distributed notion of collective action, in order to recognize and keep open possibilities of connection and development." **9** In short, a collective action requires an ethic of community economy, which I would articulate more as an act of ethics of locality that meets our everyday knowledge and livelihood in both urban and rural spaces. **10** The relational network established here is more of an instant community that chooses to think and discuss together rather than a normative structure. Self-organization is not a simple hierarchy based on

9 J. K. Gibson – Graham: *The End of Capitalism (As We Knew It)*, University of Minnesota Press, Minneapolis - London, 2006

10 *Ibidem*

interpreterei piuttosto come un atto di etica localista che si adatta alla nostra conoscenza e stile di vita quotidiani negli spazi sia urbani che rurali. **10** La rete relazionale così stabilita è più una comunità istantanea che sceglie di pensare e discutere insieme che non una struttura normativa. L'autorganizzazione non è una semplice gerarchia basata su alcune attività lavorative e le loro divisioni, ma una struttura lavoro/manodopera che permette di essere contadini al mattino e grafici al pomeriggio. Secondo l'architetto Stavros Stavrides, la collaborazione non è una questione di affermazione, ma piuttosto di negoziazione. Si tratta di discutere dei problemi critici in uno spazio urbano che rappresenta di per sé un problema urgente. Il punto di un'azione collettiva, non-clericale, politica nello spazio urbano non è l'organizzazione o l'evento stesso, ma la convivenza e l'impegno comune per creare una comunità. Ciò si radica in una riconsiderazione e realizzazione delle nostre pratiche collaborative, economie alternative, reti autonome, autorganizzazioni e strategie di distribuzione del surplus, che sono diverse da quello che le realtà neoliberiste e le logiche produttive cercano di imporci.

10 *Ibidem*

certain labor activities and their divisions, but conversely, it is a work/labor structure that allows one to be a farmer in the morning and a graphic designer in the afternoon. According to the architect Stavros Stavrides, collaboration is not about affirmation, but, rather, negotiation. It is about debating critical issues in an urban space that is itself a pressing and compelling concern. Creating collective, non-clerical, political action in the urban space is not about the organization or the event itself, but about co-existing and functioning together to achieve commoning. This is rooted in a reconsideration and realization of our practices of collaboration, alternative economies, autonomous networks, self-organization and surplus strategies, which are different from what neo-liberal realities and production logicistics try to force upon us.

Pelin Tan

Pelin Tan

Bibliografia
Cornelius Castoriadis, *L'istituzione immaginaria della società*, tr. it. a cura di F. Ciaramelli, Bollati Boringhieri, Torino 1995

Bibliography
Cornelius Castoriadis, *The Imaginary Institution of Society*, trans. K. Blamey, MIT Press, Cambridge MA, 1998

Angela Rui

Tra Cose e Sentimento

Between Things and Sentiment

La questione era riuscire nella restituzione sensibile – per certi versi assurda – non solo della realtà, ma dell'intero bagaglio emotivo. I materiali, scelti senza interesse, rappresentavano una categoria ricorrente delle ultime cose: memorie, oggetti di uso quotidiano, residui industriali, collezioni senza ricordo e senza valore. Si riferivano direttamente alle funzioni specifiche delle nostre vite e di alcune altre vite. Arrivavano dalle fabbriche, dalla strada, dalla sfera familiare, dai depositi, dalle discariche. Occorreva **1** ritornare al materiale umano, alla vita quotidiana senza ricercare quale fosse la Causa che la generava o la rendeva ciò che è. Più che una ragione a priori era opportuno attuare una comprensione a posteriori, fondata su una descrizione rigorosa, fatta di connivenza e di empatia, empatia che rivestiva un'importanza capitale.

Perciò non era più sufficiente definire il campo attivo e dialettico come qualcosa che una minoranza conserva per i pochi e per il futuro. Andava trascinato oltre i limiti imposti dalla teoria rinascimentale, e si riferiva all'intero complesso delle attività umane. Erano passati diversi lustri da che il sistema dell'arte usciva dall'avere se stesso come unico riferimento. Era spinto dalla necessità di un ritorno al reale, e ancor di più da un'esigenza intrinseca del raccontare ciò che il reale è, fatto di apparenze e di entusiasmi, esattamente nel modo in cui lo venivamo a conoscere.

Ricorderete – o forse ormai no – di Allan Kaprow: il reale derivava logicamente dall'uso dei frammenti della quotidianità... intuiva come la volontà di avvicinarsi all'espressione più vicina alla società contemporanea prediligesse l'uso di materiali che

1 Michel Maffesoli, *Note sulla postmodernità*, Lupetti editore, Milano 2005

It was a question of succeeding in the sensible restitution – in certain ways absurd – not only of reality, but of the whole emotional experience. The materials, chosen unconcernedly, represented a recurring category of the last things: memories, everyday objects, industrial waste, collections with no memory and no value. They were directly referred to the specific functions of our lives and of some other lives. They came from factories, from the street, from the family sphere, from warehouses, from dumps. It was necessary **1** to go back to human material, to daily life without searching for the Cause that generated it or made it what it is. More than a reason a priori it was worthwhile enforcing an understanding a posteriori, based on a rigorous description, made of connivance and empathy – empathy that was of capital importance.

Hence, it was no longer enough to define the active and dialectic field as something that a minority preserved for the few and for the future. It was to be dragged beyond the limits imposed by Renaissance theory, and was referred to the whole complex of human activities.

Several decades had passed since the art system had emerged from having itself as the sole reference. It was driven by the need for a return to the real, and even more by an intrinsic need to tell what the real actually is, made up of appearances and enthusiasm, in the exact same way we got to know about it.

You might recall – or perhaps no longer do so – Allan Kaprow: the real logically derived from the use of the fragments of everydayness...he intuited how the willingness to approach the closest expression to contemporary society preferred the use

1 Michel Maffesoli: *Note sulla postmodernità*, Lupetti editore, Milan, 2005

arrivavano direttamente dalla strada... Società della proliferazione **2**, di ciò che continua a crescere senza poter essere commisurato ai propri fini.

Accanto all'analisi del codice artistico e dei suoi media si affiancava l'utilizzazione soggettiva della proliferazione dei segni quotidiani; invece di negare e rifiutare la realtà, contrapponendogli un vuoto mistichiggiante, in Europa tipi come Vostell, Arman, Beuys, Christo, Tinguely rovesciavano in ogni possibile spiraglio espositivo una valanga di oggetti. Si accettava così il destino di riflettersi nel mondo e i sentimenti diventavano cose.

2 Jean Baudrillard, *La trasparenza del male. Saggio sui fenomeni estremi*, SugarCo Edizioni, Milano 1991

L'escrescente era ciò che si sviluppava in modo incontrollabile, indipendentemente dalla propria definizione, era ciò i cui effetti si moltiplicavano con la scomparsa delle cause. Non esisteva nemmeno più processo critico: la crisi è sempre questione di causalità, di squilibrio tra cause ed effetto, e trova o meno la sua soluzione in un riaggiustamento delle cause. Per quanto ci concerne sono le cause che si cancellano e diventano illeggibili lasciando il posto a un'intensificazione dei processi nel vuoto.

A proposito di cause, a proposito di processi e di vuoti, a proposito di cose e di creatori di cose – i progettisti di ultima generazione che definiremmo capitale umano della Terza Rivoluzione Industriale – che sono eroi e che sono giovani, coraggiosi e concentrati. Loro lavorano e lavoreranno senza eredità come l'avanguardia di cento anni fa, finalmente liberati da nozioni disciplinari... agiscono privi di basi teoriche che potrebbero definire superate. Sono piuttosto sicuri e per niente spaventati dal futuro, esprimono una contemporaneità che trova la sua libertà espressiva in un presente continuo, e in una realtà vissuta che metabolizza quelle caratteristiche della *Lebenswelt*, "il mondo vitale", in cui non ci sono più modelli che si lasciano ritrarre.

Si muovono tra accumuli di memorie private e collettive che in modo catarchico attraggono a sé i rimasugli di un mondo in continuo rinnovamento, sintomo di una dimensione merceologica che si esprime attraverso il consumo, attraverso i segni subliminali della merce. È stata questa la materia di cui eravamo fatti: nessuna invenzione, la società si esprimeva attraverso l'elaborazione continua del dato accatastato, sempre meno puro perché utilizzato all'infinito, in cui non era possibile risalire alla sua origine. L'abbiamo persa la sua origine... *this is something new*

of materials that came straight from the street...A society of proliferation, **2** of what continues to grow without then being in line with its own ends.

Alongside an analysis of the artistic code and its media came the subjective use of the proliferation of everyday signs; instead of denying and refusing reality, contrasting it with a mystical void, in Europe people like Vostell, Arman, Beuys, Christo, Tinguely poured a raft of objects into every possible glimmer of an exhibition. Thus the fate of being reflected in the world was accepted and sentiments became things.

2 Jean Baudrillard: *The Transparency of Evil: Essays on Extreme Phenomena*, Verso, New York, 2009

The excrescent was what was developed uncontrollably, independently of its own definition, whose effects were multiplied with the disappearance of the causes. Not even the critical process existed anymore: the crisis is always a question of causality, of imbalance between causes and effect, and it finds, or fails to find, its solution in a readjustment of the causes. As far as we are concerned, it is the causes that are deleted and become illegible, making room for an intensification of the processes in the void.

As regards the causes, as regards the processes and the voids, as regards the things and the creators of things – the latest generation of designers whom we shall call the human capital of the Third Industrial Revolution – who are the heroes and the young, the courageous and the focused. They work and will work without legacy like the avant-garde of one hundred years ago, at last released from disciplinary notions...they act without theoretical bases that could be said to be superseded. They are rather confident and not at all frightened by the future, they express a contemporaneity that finds its expressive freedom in a present continuous, and in an experienced reality that metabolizes those characteristics of the *Lebenswelt*, "the living world," in which models that allow themselves to be portrayed no longer exist.

They move between heaps of private and collective memories that cathartically draw upon themselves the remnants of a world that is continually renewing itself, symptom of a commodities dimension that is expressed through consumption, through the subliminal signs of the goods. This was the material we were made from: no invention, society expressed itself through the continuous elaboration of the stored up datum, increasingly less pure because it is used to infinity, in which it was not possible to trace back its origins. We have lost its origins...this is some-

– perdere la dialettica necessaria per aggrapparci al passato... produrre nuovi vocabolari non verbali per alludere alla vicinanza, alla temperanza, alla meraviglia, alla surrealtà di ciò che appare familiare e insieme estraneo, perché oramai non codificabile. C'era qualcuno che procedeva per immagini... imparare per immagini, per oggetti e per singoli avvenimenti lungo un arco temporale non lineare: il quinto elemento di una storia che rielabora se stessa e si capisce solamente accettando che c'è ben poco da capire perché in quella incomprensione si rivela la nuova possibilità di rivedere ogni Cosa come fosse nuova, e puro e semplice fattore per una messaggeria che ci riporta missive semplici. Non importa se il progetto non aspira più al puro, all'immacolato, al perfetto, poco importa se cerca la creatività nell'incertezza, nel frammento.

Sono eroi che cercano nozioni di verità, di corrispondenza tra pratica progettuale e sensibilità sociale, politica, etica. Rivelano una condizione del progetto contemporaneo che si diluisce nella riproduzione e nella proliferazione di se stesso, dei suoi strumenti, scarti, e manie. Questa moltitudine **3**, umana e oggettuale, si esprime attraverso la molteplicità di se stessa come unica e ultima significazione di sé. Accanto ai sistemi, alle grandi narrazioni sulle quali la modernità ha prima fondato, e poi distrutto, tutta la sua legittimità, si scopre la forza del minuscolo, il genio senza ambizione, la dissidenza dell'uomo qualunque, la cultura dell'ovunque e del niente, in una parola l'umanità concreta e senza indugi.

Tale banalità non è priva di una sua grandezza **1**, inventa continuamente la propria gerarchia e la investe nelle cose che continuamente, come un astuto *bricoleur*, TRASFORMA; le gioie e le pene plasmano in prima istanza la sua filosofia di base, una sorta di poesia senza scrittura che difficilmente potremmo comprendere con l'aiuto dei mezzi statici.
Non si tratta di regressione bensì di evoluzione... di adattamento che giunge grazie ad un progressivo "disinteressamento" dell'uomo contemporaneo verso il mondo, nell'atteggiamento blasé di Simmel... La sua essenza stava nell'insensibilità a ogni distinzione, ma questo non significa che gli oggetti non venissero percepiti, ma piuttosto che il significato e il diverso valore delle cose, e di conseguenza delle cose stesse, fossero percepite come non essenziali.

3 Paolo Virno, *Grammatica della moltitudine. Per un'analisi delle forme di vita contemporanee*, Rubbettino Editore, Catanzaro 2001

thing new – losing the necessary dialectics to grab hold of the past...producing new non-verbal lexicons to allude to the closeness, to the temperance, to the wonderment, to the surrealism of what appears to be at once familiar and extraneous, because by now it cannot be codified. There was someone who proceeded by images...learning by images, by objects and by single events along a non-linear temporal frame: the fifth element of a story that re-elaborates itself and is only understood by accepting that there is not that much to be understood because what is revealed in that incomprehension is the new opportunity to see every Thing once more as though it were new, and the pure and simple factor for a messaging that offers us simple correspondence. Little does it matter that the project no longer aspires to the pure, to the immaculate, to the perfect, little does it matter that it seeks creativity in uncertainty, in the fragment.

These are heroes that seek notions of truth, of correspondence between design practice and social, political, ethical sensibility. They reveal a condition of contemporary design that is diluted in the reproduction and in the proliferation of itself, its instruments, its by-products, and its manias. This human and object-based multitude **3** is expressed through the multiplicity of itself as unique and ultimate meaning of itself. Alongside the systems, the great narratives on which modernity first of all founded, and then destroyed, all its legitimacy, we discover the force of the minuscule, the genius without ambition, the dissidence of the Everyman, the culture of anywhere and of nothing, in a word, humanity that is concrete and without hesitation.

Such triviality is not without its greatness, **1** it continuously invents its own hierarchy and invests in the things that it continuously, like a skilled *bricoleur*, TRANSFORMS; at first, the joys and the pains shape its basic philosophy, a sort of poetry without writing that we would struggle to understand with the aid of static means.
It is not a matter of regression but, rather, of evolution...adaptation that achieves, thanks to the progressive "lack of concern" of contemporary man towards the world, the blasé attitude of Simmel...Its essence lay in the insensibility towards every distinction, but this does not mean that the objects were not perceived; rather, the meaning and the different value of things, and consequently of the things themselves, were perceived as being non-essential.

3 Paolo Virno: *Grammatica della moltitudine. Per un'analisi delle forme di vita contemporanee*, Rubbettino Editore, Catanzaro, 2001

Angela Rui

Angela Rui

Non c'era differenza tra le cose, distruggerle o accatastarle, conservarle o collezionarle, erano processi identici d'uso e di accumulazione. Attiravano a sé la totalità del reale senza distinzione di gerarchie estetiche e sociali, un reale autentico perché tendeva a risvegliare nell'individuo le forze creative che gli facevano varcare i confini dell'autentica normalità.

Al blasé esse apparivano su un piano uniforme e in una tonalità opaca; nessun oggetto meritava preferenza rispetto a un altro: questo stato d'animo era il fedele riflesso soggettivo di una completa interiorizzazione dell'economia del denaro. Tutti gli oggetti galleggiavano con uguale peso specifico nel movimento costante dell'economia monetaria. Gli oggetti giacevano tutti allo stesso livello e differivano fra loro solo per l'area che ricoprono nello spazio. **4** Provocavano un senso di esistenza, di essere al mondo, che non cavalcava l'ordine, la scelta, il pensiero analitico. Ci si nutriva inversamente di quella

4 Georg Simmel, *Die Groszstadte und das Geistesleben*, Dresda 1903. Citato in Manfredo Tafuri, *Progetto e utopia*, Laterza, Bari 2007

Nervenleben, di quella angoscia che "l'indifferenza al valore" provocava e alimentava di continuo nell'esperienza metropolitana.

Ma anche questa boa è sorpassata – i nuovi eroi possono vivere di niente. Disegnano nuovi oggetti che rielaborano semplici profezie dell'essere nel mondo ma possono e vogliono vivere di poco, pochissimo. La contrazione dell'essenziale è una nuova forma di progetto e nuovi scenari oggettuali appaiono come nuovi vocabolari più che come insieme di cose da utilizzare e consumare. Al massimo l'utilizzo che ne viene concesso è didattico, processuale, analitico, sentimentale, esistenziale. Dell'oggetto in sé non importa ormai granché nemmeno al loro creatore: le cose sono traduttori di messaggi universali, di decodifiche di una realtà tangibile che essi semplificano rendendola più autentica, esperibile, digeribile.

Sognano l'apocalisse **5**, ovvero il modo in cui questo presente apparentemente infinito ci induce a desiderare una fine, qualunque essa sia. Per gli scrittori la nuova sfida consiste nell'appassionare il pubblico alla storia, facendogli sperimentare emozioni e intuizioni proprio come accade nella narrativa tradizionale, senza però il lusso della trama... Facciamo i conti con personaggi che d'improvviso devono scoprire sia chi sono sia

5 Douglas Rushkoff, *Presente continuo. Quando tutto accade ora*, tit. or. *Present Shock. When Everything Happens Now*, Codice Edizioni, Torino 2014

There was no difference between things, destroying them or piling them up, preserving them or collecting them, they were identical processes of use and of accumulation. They drew toward themselves the totality of the real without distinction of aesthetic and social hierarchies, an authentic real because it tended to reawaken in the individual the creative forces that made him cross the threshold of authentic normality.

To the blasé they appeared on a uniform plane and in a dull hue; no object deserved preference with respect to another: this mood was the faithful subjective reflection of a complete internalization of an economy based on money. All the objects floated with equal specific weight in the constant movement of the monetary economy. The objects all lay on the same level and differed between themselves only in terms of the area they cover in space. **4** They provoked a sense of existence, of being in the world, that did not straddle the need for order, the choice, the analytical thinking. One was nourished

4 Georg Simmel: *Die Groszstadte und das Geistesleben* [The Metropolis and Mental Life], Dresden, 1903. Quoted in Manfredo Tafuri, *Progetto e utopia*, Laterza, Bari, 2007

inversely to that *Nervenleben*, to that anguish that "the indifference to value" provoked and fueled continuously in the metropolitan experience.

But this buoy has been overcome – the new heroes can live on nothing. They design new objects that re-elaborate simple prophesies of being in the world but can and want to live on little, very little. The contraction of the essential is a new form of project, and new object-based scenarios appear like new lexicons rather than as a set of things to be used and consumed. At most, the use that is given is didactic, procedural, analytical, sentimental, existential. The object itself no longer matters much, not even to its creator: things are conveyors of universal messages, of the decodings of a tangible reality that they simplify by making it more authentic, accomplishable, digestible.

They dream of the apocalypse, **5** that is, the way in which this apparently infinite present leads us to desire an end, whatever it may be. For writers the new challenge consists in getting the public excited about the story, making them experience emotions and insights just as occurs in traditional narrative, without the luxury of the plot, however... We need to come to terms with characters who suddenly discover

5 Douglas Rushkoff: *Present Shock. When Everything Happens Now*, Penguin, London, 2014

cosa diavolo stia succedendo intorno a loro. Ci era stato detto che non avremmo più dovuto adattarci ai cambiamenti individuali, ma al tasso di accelerazione del cambiamento stesso. Ci trovavamo esattamente in quello che Alvin Toffler aveva definito shock del futuro. Nel presente continuo il cambiamento non è più un evento, ma uno stato immutabile dell'esistenza. Invece di gestirlo, speriamo di essere "iterati" nella nuova versione della realtà. In questo ci aiutano i nostri eroi fabbricatori di realtà, che disegnano e costruiscono strutture di pensiero critico – che si inseriscono nella produzione architettonica e oggettuale – sistemi periferici e laterali – che stanno tra le righe dei cicli della Natura – provocazioni sensoriali per farci sapere di essere al mondo, oggetti-macchine per la produzione di desiderio così che potremo ritrovare – nella trasformazione che ci investe – nuovi vocabolari esistenziali grazie ai quali procurare narrazioni del quotidiano che finiscano, finalmente, per rappresentarci di nuovo. *Cum gratia.*

Caro lettore,
il testo è frutto della rielaborazione di passaggi tratti da diversi autori di cui avete trovato traccia. Il saggio, volutamente privo di citazioni, prova a esprimere ciò che è ormai dato nella processualità che investe il mondo del progetto, così come ogni altro campo che ha a che fare con le Arti: ogni pensiero, ogni nuova produzione, sono dati dalla rielaborazione costante e libera di dati esistenti. Così come essi non cercano, per mutazione di natura, agganci temporali o formulazioni lineari.

both who they are and what on earth is happening around them. We had been told that we would no longer have had to adapt to individual changes, but to the rate of acceleration of the change itself. We find ourselves right in the middle of what Alvin Toffler called future shock." In the continuous present change is no longer an event, but an unchangeable state of existence. Instead of managing it, we hope to be "iterated" in the new version of reality. In this we are helped by our reality-making heroes, who design and construct structures of critical thinking – which are added to architectural and object-based production –, peripheral and lateral systems – which lies between the lines of the cycles of Nature –, sensory provocations to make us know we are in the world, machine-objects for the production of desire so that we can once again find – in the transformation that affects us – new existential lexicons thanks to which we can procure narratives of the everyday that end up, finally, representing us once again. *Cum gratia.*

Dear Reader,
This text is the result of a reworking of some passages by the authors whose writings you have come across. The essay, deliberately without quotes, is an attempt to express what is by now a fact in the processes that invest the world of design, as well as any other field that has to do with the Arts: every thought, every new production, is given by the constant and free re-elaboration of pre-existing data. Just as they do not seek, by mutation of nature, temporary connections or linear formulations.

Angela Rui

Hans Tuzzi

L'incanto quotidiano

The Daily Enchantment

Non amava viaggiare sotto terra, ma per distanze simili nessun altro mezzo in città permetteva spostamenti altrettanto rapidi.
Non amava i maldestri tentativi di conforto dei medici, quando referti inoppugnabili li obbligano a uscire dal cerchio magico dei termini specialistici. Ma comprendeva le loro buone intenzioni.
Così, adesso sedeva in un vagone di metropolitana e aveva di fronte un alieno.
No, si corresse Gisela Fricke, la creatura seduta di fronte a lei non era un alieno. Aveva poco di femmineo, certo: o meglio, aveva poco di quel che l'uomo esige di sottomesso e formoso in una donna. Magra, asciutta, quasi senza seno, cosce lunghe da adolescente, capelli neri cortissimi e spiumati col gel, piercing dappertutto ma donna. A occhio venticinque anni, anche se ne dimostrava meno nel corpo, e più nell'anima. Una muta compressione... di che? Di rabbia? Di rifiuto? Di odio? Il volto aveva contrazioni e scatti, come se si parlasse e si rispondesse, sì, ma a monosillabi.
L'assurda infelicità dei giovani. Qui, però, sembrava rabbia. Verso chi? Perché?
E cosa faceva nella vita? Performance art?
Irrazionalmente, Gisela Fricke si guardò intorno, nella carrozza quasi deserta: no, non si trovava nel pieno di uno sniggling.
Aveva dovuto attendere novanta minuti in sala d'aspetto, prima della scintigrafia. Sala d'aspetto. Perché l'aspetto con cui si era entrati non sarebbe stato quello con cui se ne sarebbe usciti. Non aveva portato libri con sé, e aveva lasciato che il tempo scorresse perché l'età insegna la pazienza: chi non ha più tempo sa aspettare il tempo. Aveva studiato gli altri, la varia umanità costretta, come lei, in quella innaturale attesa. Un limbo? Aveva respinto il sorriso sbocciato spontaneo all'idea di loro, lì, tutti loro anime

She did not like to travel by subway, but for distances like that no other means in the city allowed for equally quick transfers.
She did not like the doctors' clumsy attempts at comforting her, when the incontrovertible records obliged them to depart from the magic circle of the specialized jargon. But she could understand their good intentions.
So, now she was sitting in a subway car with an alien in front of her.
No, actually, Gisela Fricke corrected herself, the creature seated opposite her was not an alien. There was not too much that was feminine about it, for sure: or better still, it had little of what a man demands that is submissive and shapely in a woman. Slim, lean, almost flat-chested, an adolescent's long thighs, very short black hair spiked with gel, piercings everywhere, but still a woman. At a glance, twenty-five years old, even if her body looked younger, her soul older. A mute compression...of what? Of anger? Of rejection? Of hatred? Her face had contractions and jerks, as if she spoke to herself and answered back, yes, but in monosyllables.
Young people's absurd unhappiness. Here, though, it seemed like anger. Towards whom? Why?
And what did she do in life? Performance art?
Irrationally, Gisela Fricke looked around herself, in the almost deserted car: no, she wasn't in the midst of a sniggling.
She had had to wait ninety minutes in the waiting room before the scan. Waiting room. And after that wait, what you looked like when you entered would be different when you left. She hadn't taken any books with her, and she had allowed time to flow by because age teaches patience: he who no longer has time knows how to wait for time. She had studied the others, the varied humanity forced, as she was, in that unnatural wait. A limbo?

purganti. Sin da piccola quell'espressione l'aveva fatta pensare al vaso da notte e a un bimbo accoccolato sopra: una fila di smunte figure in lunghe tuniche candide sedute in fila da un orizzonte all'altro su nivei pitali. Immagine, del resto, non meno incredibile di quel capolavoro assurdo di marketing religioso, qual era l'idea stessa di Purgatorio.

Erano centouno, come i cuccioli di Walt Disney, i vasi da notte usati da un artista cinese per suscitare *Incanti quotidiani*. Cento e un vasi da notte tutti in fila in Purgatorio... Il quotidiano, fuori contesto, è un incanto?

Così, mentre il tempo colava goccia a goccia dallo schermo di un orologio elettrico, ogni minuto rosso come sangue, goccia a goccia come il sangue da una flebo, Gisela aveva studiato i compagni di naufragio su quella zattera medusea.

Due giovani dal fortissimo accento napoletano, chiaramente venuti dall'hinterland. Uno dei due, Giuseppe si chiamava, era su una sedia a rotelle. Da qualche tempo, perché il fisico tozzo e robusto iniziava a ingrassare, a sformarsi sui fianchi come accade agli invalidi. L'altro, di due o tre anni più giovane, Christian, era magro e asciutto, e il volto ricordava quello di un giovane e noto attore. Parlavano di amici, di donne, della pizzeria: quella, forse, dove entrambi lavoravano? Erano sereni, indifferenti all'attesa. Giuseppe, l'invalido, non sembrava nemmeno avercela col destino, per quella vita precocemente spezzata. Perché erano lì? Perché quell'ospedale era così fuori dal mondo? Ancora nove fermate, per arrivare a casa.

La ragazza frugò nel magro corpo: per un istante Gisela temette potesse accendersi una sigaretta. Avrebbe mai trovato il coraggio di dirle che sui mezzi pubblici non si può fumare?

Provò un vile sollievo nel vederla maneggiare uno smartphone. E se avesse fumato? E se lei, Gisela, avesse protestato? E ne fosse nato un alterco? E fosse intervenuta la polizia? E la ragazza avesse detto ai poliziotti che lei era una performer? *Una che minchia cosa?* avrebbe detto il tipo in divisa, e i poliziotti non avrebbero faticato a immaginarsela, l'arte. L'arte più antica del mondo. Ma non era così.

In ospedale l'orinale di Duchamp si fa padella di Spoerri? O pappagallo, che in arte è simbolo di lussuria? Christian inforcava un paio di Ray-Ban. Un ramo di rose liberty fioriva l'avambraccio destro, fra brachioradiale e palmare lungo. Aspettavano. Lui e Giuseppe aspettavano, con la rassegnazione dell'Italia contadina che ormai contadina non era più. Cos'era, allora?

In quell'istante aveva pensato a Guido. Perché? Guido. L'amico

She had rejected the smile that had bloomed spontaneously at the idea of them, there, all of them, the souls of purgatory. From an early age that expression had made her think of a chamber pot, and a child curled up upon it: a line of gaunt figures in long candid tunics seated in a line from one horizon to another on snowy white chamber pots. An image, moreover, no less incredible than the absurd masterpiece of religious marketing, as was the idea itself of Purgatory.

They numbered one hundred and one, like Walt Disney's puppies, the chamber pots used by a Chinese artist to arouse *Daily Enchantments*. One hundred and one chamber pots all in line in Purgatory...Is the everyday, out of its context, an enchantment?

So as time dripped away drop by drop from the screen of an electric clock, each minute as red as blood, drop by drop like blood from a drip, Gisela had studied her shipwrecked companions on that Medusean life raft.

Two young people with a very pronounced Neapolitan accent who had clearly come from the hinterland. One of the two, Giuseppe was his name, was in a wheelchair. For some time it seemed, because his stocky physique was starting to fatten, to lose shape around the waist as happens to the disabled. The other one, two or three years younger, Christian, was slim and lean, and his face reminded her of that of a young and well-known actor. They spoke of friends, of women, of the pizzeria: perhaps the one where they both worked? They were at peace, indifferent to the long wait Giuseppe, the disabled one, didn't even seem to begrudge his fate, his life that had been prematurely broken. Why were they there? Why was that hospital so far away from the world? Nine more stops, to get home.

The girl fumbled around her lean body: for an instant Gisela feared she might light up a cigarette. Could she ever have found the courage to tell her that smoking wasn't allowed on public transportation?

She felt cowardly relief in seeing her fingering a smartphone. And if she had smoked? And if she, Gisela, had complained? And if a quarrel had erupted over it? And if the police had stepped in? And the girl had told the policemen that she was a performer? *A what, for Chrissake?* The guy in uniform would have said, and the police officers wouldn't have found it hard to imagine it, art. The oldest trade in the world. But it wasn't so.

In the hospital, did Duchamp's urinal become Spoerri's bedpan? Or "parrot," as the Italians refer to it, which in art is the symbol of lust? Christian wore a pair of Ray-Bans. A branch of liberty

scomparso, partito quasi trent'anni prima per località ignota senza dare mai più notizia di sé a nessuno. Perché, due giorni prima di scomparire, Guido le aveva detto: "Io so cose che i vivi non sanno, perché le sanno soltanto i morti".

Anche le due signore d'antan: madre e figlia, come dichiarava l'identico naso, una delicata pinna alabastrina, aspettavano con la sospesa dignità di chi ha ricevuto una buona educazione. Nel volto della madre, tuttavia, potevi cogliere la paura. Che cosa l'attendeva, di là dalle porte che separano il mondo radioattivo dal mondo dei sani? Il tecnezio pertecnetato? Improbabile, vista l'età. La figlia – Gisela poteva vederne l'intero arco della vita di beneducata vergine rimasta zitella al fianco della vecchia madre – la figlia era il solo bastone rimastole. E lei vi si appoggiava, confidente nella sua impaurita dignità.

Benché arrivate dopo, le due donne – l'anziana madre, l'appassita figlia – entrarono prima dei due ragazzi. Che, però, non si lamentarono.

E l'uomo? Trentacinquenne, capelli e barba neri e corti, completo di buona stoffa, cravatta, borsa diplomatica, impazienza diffusa. Aveva fretta, e paura.

Tutti, tutti si sarebbero ritrovati di là dalla porta, seminudi, infagottati nelle camiciole sintetiche dell'ospedale, neri e goffi come i borghesi di Calais.

Pare che nella elegante casa di rue de Varenne modelle e modelli avessero l'obbligo di stare nudi: giovani, vecchi, belli o sgraziati, in piedi o seduti. Ma nudi, sotto l'occhio di Rodin. E, anche lì, una Porta dell'Inferno...

A una fermata la ragazza sbisciò fuori, senza che il corpo ne desse preavviso. Al suo posto entrò una paffuta teenager, lei, sì, vestita come una puttana. Bionda, rosea, felicemente ebete.

Perché sono così acida? si chiese Gisela. No, era sin troppo calma, sin troppo controllata. Sì, è questo il bene dei pessimisti, si disse: quando il colpo arriva, sei parata. Però, bisogna essere pessimisti stoici. Oppure bisogna avere un ego che straborda dalle orecchie. Come Pfau.

Ecco, Pfau sapeva tutto della performance. Nella teoria e nella pratica. Ogni reading di un suo romanzo era una performance. Una performance riuscita.

Se il solco di nove anni fra loro sembrava poca cosa, all'inizio, adesso era la voragine che li divideva. Unico fragile ponte di corde, la complicità. Elargita, però, solo da lei, Gisela. Promossa, o rimossa, al rango di casta sorella maggiore.

Se la sarebbe portata a letto, Pfau, l'aliena tutta piercing e bor-

Hans Tuzzi

roses bloomed on his right forearm, between the brachioradialis and the long palmar. They were waiting. He and Giuseppe were waiting, with the resignation of farming Italy that by now was no longer a farming country. What was it then?

At that moment Guido had come to mind. Why? Guido. Her long lost friend, who had left almost thirty years before for that unknown location without ever giving anyone news of his whereabouts. Because, two days before disappearing, Guido had told her: "I know things that the living do not know, because only the dead know them."

Even the two ladies of yesteryear: mother and daughter, as their identical noses declared, a delicate alabaster-like fin, were waiting with the suspended dignity of those who had received a good education. However, you could see the fear in the mother's face. What was in store for them, beyond the doors that separated the radioactive world from the world of the healthy? Pertechnetate technetium? Highly unlikely, seeing her age. The daughter – Gisela could see the whole span of her life as a well-mannered virgin who had remained a spinster alongside her old mother – the daughter was the only walking stick she was left with. And she leaned on it, confident in her frightened dignity.

Although they had arrived afterwards, the two women – the elderly mother, the faded daughter – entered before the two men, who, however, did not complain.

And the man? In his mid-thirties, short black hair and beard, finely tailored suit, tie, briefcase, evident impatience. He was in a hurry, and he was afraid too.

Everyone, everyone would find themselves on the other side of the door, half-naked, all wrapped up in the synthetic hospital vests, black and clumsy like the bourgeoisie of Calais.

It seems that in the elegant home in Rue de Varenne male and female models were obliged to remain naked: young, old, beautiful or ungainly, on foot or seated. But naked, under Rodin's gaze. And, there too, a Door to Hell...

At a train stop the girl jumped outside, without her body giving any forewarning. In her place a chubby teenager entered. Yes, she was dressed like a whore. Blonde, rosy-cheeked, happily obese.

Why am I so bitter, Gisela wondered. No, she was even too calm, even too self-controlled. Yes, this is the good thing about pessimists, she told herself: when your're about to be hit, you're protected. But you need to be stoical pessimists. Or else you need to have an ego that overflows from your every pore. Like Pfau.

Yes, Pfau knew everything there was to know about performance.

chie? Di sicuro, avrebbe dato un colpo senza pensarci a quella specie di vitella charolaise dalle rosee mammelle che stava ruminando chewingum e linguaggio postribolare al telefonino. Era identica, ma proprio identica, *wie aus dem Gesicht geschnitten*, alla giovane manza che, dopo tre settimane di cura intensiva su Mantegna e gli squarcioneschi, interrogata sul maestro padovano del sommo Andrea aveva risposto sicura: lo Squacquerone. Del resto, un'aspirante vacca sta sul caseario, no? Sì, quelle eran le tipe che Pfau copriva per puro vitalismo animale. Come quella ragazza, quella sì di straordinaria bellezza, che a una cena aveva scambiato soave Antonello e Pirandello. In fondo, siciliani entrambi.

Ecco, lei nemmeno con Mister Universo, a letto, dopo una simile bufala. Pfau, invece… E ora? Ora che la malattia si sarebbe aggiunta all'età? Cinquantadue, il prossimo anno. Un uomo, a quarantatré, è un leone nel pieno della sua forza.

In Rodin il bronzo si fa miele, avevano scritto i critici. La nudità cerea, livida di Giuseppe, indifeso nelle mani degli infermieri, gli slip da poco prezzo rigonfi d'una inusitata virilità. La posa composta di madre e figlia, come sedute alla fermata del tram. Il nervoso imbarazzo dell'uomo dalle calze nere lunghe sino al ginocchio. Malati. Mal atti. Deboli. Languidi. Molli. Come il miele di Rodin. Si riscosse: la sua fermata.

Quelle che a prima vista sembravano stoffe appese a parete erano raffinate tessiture metalliche. Arte, arte contemporanea africana. Nella stanza lo spazio era scandito da oggetti ben selezionati. Tutti scelti da lei, quando Pfau non sapeva ancora distinguere fra Art Nouveau e Art Déco. Una *Red&Blue* di Rietveld – una riedizione – si sposava a un trono ligneo del Benin, la seduta costituita da un maschio nudo prono in atto servile. Due poltrone di Starck in plastica trasparente stavano ai lati di una seggiola in bronzo sulla quale poggiava, inamovibile, una cesta di frutta. Bronzea anch'essa. Manzù, e questa non era una riedizione. In un angolo, il grande totem ligneo di uno spirito antenato fissava truce gli intrusi, il corpo irto di chiodi. Arte tribale africana. Yombe? In ogni caso, Congo. Alle pareti grandi teleri tridimensionali. Uno, in particolare, colpiva in maniera inquietante, assecondando l'evidente volontà dell'artista: bianca, sporca, la grande tela era attraversata per il lungo da uno spartito di fili spinati dai quali pendevano tubetti di tempera che, feriti a morte, agonizzavano versando il denso diverso rosso del loro sangue chimico. Qua e là, brandelli di garza, di cerotto, ormai ingrommati alla tela da liqua-

Both in theory and in practice. Each reading of one of his novels was a performance. A successful performance.

If the gap of nine years between them did not seem like that much, at the beginning, now it was an abyss that divided them. The only fragile bridge made of ropes, connivance. Dispensed, however, only by herself, Gisela. Promoted, or demoted, to the rank of chaste elder sister.

Would he, Pfau, have taken the alien, all piercings and studs, to bed? For sure, without giving it a second thought he would have screwed that sort of Charolaise heifer with the pinkish breasts that was munching on chewing-gum and speaking obscene language on her cell phone. She was identical, the spitting image, *wie aus dem Gesicht geschnitten*, of the young cow that, after three weeks of intensive care on Mantegna and the *squarcioneschi*, questioned about the Padua master by the sublime Andrea had an answer ready: Squacquerone. After all, an aspiring cow stays in a dairy, right? Yes, those were the sort of girls that Pfau laid out of pure animal vitality. Like that girl, that one who was remarkably beautiful, who at a dinner had muddled up suave Antonello and Pirandello. At bottom, both were Sicilians.

She wouldn't even go to bed with Mr. Universe, after a similar blunder. Pfau, instead…And now? Now that the disease would be added to age? Fifty-two, next year. A man, at forty-three, is a lion at the peak of his strength.

In Rodin the bronze becomes honey, wrote the critics. Waxy nudity, livid from Giuseppe, defenseless in the hands of the nurses, the cheap underpants swollen by an uncommon virility. The peaceful pose of mother and daughter, as though seated at the bus stop. The nervous embarrassment of the man wearing long black socks up to his knees.

Sick. Sick deeds. Weak. Languid. Flimsy. Like Rodin's honey. She came to: it was her stop.

What at first sight looked like pieces of cloth hanging on the walls were actually refined metallic textures. Art, contemporary African art. In the room the space was marked out by carefully selected objects. All of them chosen by her, when Pfau still couldn't distinguish between Art Nouveau and Art Déco. A *Red&Blue* by Rietveld – a revisitation – was combined with a wooden throne by Benin, the seat made up of a naked male prostrate in the act of servility. Two transparent plastic armchairs by Starck were on either side of a bronze stool on which a basket of fruit lay, stationary. That too was bronze. Manzù, and this was not a new edition.

mi essudati. Inquietante, sì. Ma non quanto Guido.

"Davvero? Siamo alla terza ristampa in tre settimane? Secondo te a quali premi è meglio puntare?"

Pfau era sul terrazzino affacciato su tetti rossi: camicia azzurra come gli occhi, bicchiere di succo d'arancia e gin in una mano, smartphone nell'altra, si era modellato una nicchia nella poltrona di vimini. Le ammiccò, complice, e continuò a parlare al telefono: "Ah, come in quel film: si nota di più se non concorro a nessun premio?"

"Bene. Sei contento?" chiese lei, versandosi da bere. La spalliera di passiflora spandeva un olezzo tenue e tenace.

Guido, complicato, intelligentissimo, così diverso dagli adolescenti di quegli anni. Schizofrenico? Sì, forse, ma quello sguardo oltre la faceva sempre sentire scoperta, inadeguata. L'attraversò il ricordo di una notte passata insieme in assoluto silenzio, ciascuno la schiena a un albero, uno di fronte all'altro, in un pioppeto nella campagna lombarda, notte terminata con una silenziosa visita, all'alba, ai clochards che vivevano in una fabbrica abbandonata.

Pfau le sorrise con gli occhi, continuando a rivolgersi al misterioso interlocutore:

"Guarda, tu che lo conosci bene dovresti buttar lì che forse è il mio romanzo... be', non dirò il migliore ma il più mio". Bevve un sorso: "Sai come si dice, che il *Don Giovanni* è la più bella opera mai scritta, ma il *Flauto magico* è la più bella opera di Mozart?" Rise compiaciuto: "Bravo, così". E chiuse la conversazione.

"Ti saluta Gino" le sorrise. "Capito? Tre ristampe in tre settimane. Mi fa venire appetito".

Guido, che un giorno le aveva detto: "l'Africa è il plesso del mondo".

"Bell'inizio" si sentì dire paziente. "Preparati alla pubblica invidia".

"Sarebbe una reazione umana" sorrise lui compiaciuto. "Rifletti, noi non siamo responsabili dei pensieri e dei sentimenti che ci invadono: la colpa sta nel manifestarli. Prendi quelli che soffrono anni di correzioni, ripensamenti, revisioni: capisco che possano disprezzare e invidiare, nello stesso tempo, chi, come me, ha un percorso di progressi segnati da ogni nuovo libro pubblicato, perché, se ci pensi..."

Lo zucchero filato delle nuvole nel cielo azzurro polvere di Lucera. Distesa estate. Quanti anni prima? Il bianco polvere dell'anfiteatro romano, perché l'antichità classica per noi è bianca come fantasma. Lucera lana bianca. E il cupo fogliame – *Im dunklen Laub die Goldorangen glühn*: Lucera bosco sacro. E la piana, sgretolìo di ossa. I pallidi spalti del medioevo. E le cicale, il sacro ossessi-

In a corner, the large wooden totem of an ancestor's spirit glared at the intruders, its body bristling with nails. Tribal African art. Yombe? In any case, Zaire. On the walls large three-dimensional teleri. One, in particular, was disturbingly striking, it suited the artist's evident wishes: filthy white, the large canvas was crossed lengthways by barbed wires from which small paint tubes hung which, wounded to death, were in agony issuing forth the thick redness of their chemical blood. Here and there, shreds of gauze, band-aids, by now encrusted upon the canvas by exuded sludge. Disturbing, yes indeed. But not as much as Guido.

"Really? We've reached the third reprint in three weeks? In your opinion which prizes is it best to aim for?"

Pfau was on the terrace facing the red roofs: blue shirt like his eyes, holding a glass of orange juice and gin in one hand, smartphone in the other, he had formed a niche for himself in the wicker armchair. He winked at her, with an air of complicity, and went on talking on the phone: "Ah, like in that film: is it more noticeable if I don't run for any prize?"

"Good. Are you happy?" she asked, pouring herself a drink. The espalier of passion flower diffused a mellow and lingering scent.

Guido, complicated, highly intelligent, so different from the adolescents of those years. Schizophrenic? Yes, perhaps, but that distant look always made her feel uncovered, inadequate. The memory of a night spent together in absolute silence came to her, each with their back to a tree, one facing the other, in a poplar grove in the Lombard countryside, a night that had ended with a silent visit, at dawn, to see the tramps who lived in an abandoned factory.

Pfau smiled at her with his eyes, continuing to address the mysterious interlocutor:

"Look, you, who know him well, should say, in passing, that perhaps it's my...well, I wouldn't say best novel but the one I feel is closest to me." He took a sip: "You know what they say, that *Don Giovanni* is the greatest opera ever written, but that the *Magic Flute* is Mozart's best opera?" He laughed contentedly: "Well done, then." And he ended the conversation.

"Gino says hi," he smiled at her. "Got it? Three reprints in three weeks. It's giving me an appetite."

Guido, who one day had told her: "Africa is the plexus of the world."

"Good start," he heard her say, patiently. "Get ready for public envy."

"That would be a human reaction," he smiled, self-satisfied. "Think about it, we are not responsible for the thoughts and the feelings that overcome us: the blame lies in showing them. Take those people who suffer years of corrections, second thoughts,

vo continuo frinire delle cicale. E le parole, le continue parole di Pfau. Nel ricordo i suoi commenti si mescolavano in basso continuo al cicaleccio abissale. Ma, a differenza delle cicale del *Fedro*, lui aveva mangiato, oh, sì.

"Perché ridi?"

"No, niente. Pensavo a Lucera".

"Lucera?"

La guardò stranito. Riprese a parlare.

"Chi ritiene di essere perla da non dare ai porci non considera che col porco fai ottimi salumi. Tutto sta nel calibrarsi fra misura e modica quantità ad uso alimentare. Poi, sì, lo sappiamo, c'è un forte consorzio, un nodo di interessi, uomini che vogliono mantenere il loro predominio letterario..."

Ricordava persino quel che aveva mangiato, di là dalle campate degli anni: cicatelli e rucola. A un tavolino sotto un ombrellone pallido, nella piazza davanti alla cattedrale.

"... gran parte del loro successo e della loro notorietà, ma è solamente gestione del potere che si traveste da difesa della scrittura, contro l'invadente facilità di una attualità commestibile".

Non ricordava quel che lui aveva detto, però. Ma, in fondo, persino le più intelligenti osservazioni di Pfau, e ne faceva, si riconducevano al concetto base: io, io, io. E gli altri? Contrariamente al celebre titolo, gli altri non esistevano. Se non per creare luce riflessa. Lei, ad esempio. Uno di quegli ombrelli bianchi che si vedono sui set degli spot pubblicitari.

Bianchi come la luce del Mezzogiorno.

Bianchi come fantasmi.

Un noncolore per nonpersone.

Io, io, io, io...

Dal vaso del cespuglio di abelia bianca spuntava il manico di un vecchio paio di forbici – un paio di forbici da sarto – al quale lei era molto affezionata. Se lo era ritrovato, clandestino, impaccato per sbaglio con un lotto di libri speditole da un libraio tedesco. Tanti anni prima, quando Pfau non era ancora Pfau bensì un giovane uomo ingenuo e talentuoso, desideroso di scalare il successo, sì, ma ancora capace, fra lunghi intervalli, di guardare il mondo. Un nome e un cognome. Gli stessi che campeggiavano sulla copertina bianco latte del volume poggiato sul carrello delle bevande.

"... e sai come li chiamano, quei due? I chiattoni animati". Un breve riso gorgogliante, mentre si serviva nuovamente da bere. "Comunque, poco da dire, l'hanno ammesso tutti, geniale l'idea degli elettrodomestici. Chi sa quali furono, negli ultimi dieci anni

revisions: I can understand that they might despise and envy, at the same time, those like me who have a path of progress marked by every new book published, because, if you think about it..."

The candy floss of the clouds in the dusty blue sky of Lucera. Relaxed summer. How many years before? The white dust of the Roman amphitheater, because Classical Antiquity for us is as white as a ghost. Lucera white wool. And the dark mound of leaves – *Im dunklen Laub die Goldorangen glühn*: Lucera sacred wood. And the lowland, grinding of bones. The pale bastions of the Middle Ages. And the cicadas, the sacred obsessive incessant chirping of the cicadas. And the words, Pfau's incessant words. In her memory his comments blended in a non-stop low tone with the deafening chattering. But, unlike *Phaedrus*' cicadas, he had eaten, oh yes, he had indeed.

"Why are you laughing?"

"Oh, it's nothing. I was thinking about Lucera."

"Lucera?"

He looked at her puzzled. He started talking again.

"He who thinks he is a pearl not to be given to the pigs does not consider that excellent cold cuts are made from pork. Everything lies in fine-tuning oneself between measurement and modest quantity for nutritional purposes. Then, yes, we know, there is a strong consortium, interwoven interests, men who want to preserve their literary predomination..."

He even recalled what he had eaten, beyond the span of time: cicatelli and wild rocket. At a table under a pallid parasol, in the square opposite the cathedral.

"...most of their success and their fame, but it's usually the management of power that is disguised in defense of writing, against the invasive ease of an edible actuality."

She couldn't remember what he had said, though. But at bottom even Pfau's most intelligent remarks, and he made lots of them, could be traced back to the basic concept: me, me, me. And what about the others? Unlike the famous title, the others didn't exist. If not just to create reflected light.

She, for instance. One of those white umbrellas that can be seen in the commercials.

White like the light of the South.

As white as ghosts.

A non-color for non-people.

Me, me, me...

From the vase with the white abelia bush the handles of an old pair of scissors poked out – a pair of tailor's scissors – which she

dell'Ottocento, i primi cinque attrezzi diventati elettrodomestici? Certo: la macchina da cucire; il ventilatore; il bollitore; il tostapane. Ma il quinto? Il vibratore, che veniva usato nelle cure per l'isteria, questo, dài, chi ci penserebbe?"

Il tramonto di una sera di giugno, luce da Ultima Cena, la stessa luce catturata da Giotto nella cappella degli Scrovegni: un chiarore azzurro luminosissimo, quella che i francesi chiamano *l'heure bleue*.

"Ma mi ascolti?"

"Oh, scusa".

"Ho detto: andiamo al ristorante?"

Per un attimo si sentì smarrita: "No, non ne ho voglia. Bahati non ha preparato nulla?"

"Credo di sì. Un'insalata di riso".

Un tempo le avrebbe chiesto: "Perché non ne hai voglia?".

Un tempo le avrebbe chiesto: "Cosa ti han detto i medici?".

Estrasse la forbice dal vaso, ne ripulì accuratamente le lame, la ripose fra gli altri attrezzi da giardinaggio.

"Sai, avrò altri due passaggi in televisione e quattro interviste radio. Sono bravi, quei due, anche se con me è facile perché io..."

Le lame della forbice, potenti e acuminate, le ricordavano il becco delle cicogne. Erano così comuni, le cicogne, nella Bassa Austria. Belle, ma feroci: carnivore. In fondo, marabù vestiti da un bravo sarto. Le aveva viste più di una volta portare al nido lunghi serpenti che si contorcevano pendendo come festoni dal lungo becco. Le venne in mente quel racconto di Kipling, dove un marabù pinza col becco un cucciolo e lo inghiotte vivo nella sua sacca spiumata. Eppure...

Per te intendo
ciò che osa la cicogna quando alzato
il volo dalla cuspide nebbiosa...

Scosse la testa. I pavoni sono inetti al volo.

"E comunque, tanto per tornare agli invidiosi difensori dell'arte dello scrivere, quelli che il libro è buono solo se non vende, ecco, io invece..."

Qualcosa non quadrava. Ma cosa mai quadra, nella morte?

Poi, improvvisa, l'idea.

No, la visione.

La visione, la rivelazione che la folgorò, lasciandola sgomenta.

Pfau ne avrebbe fatto un romanzo. Della sua malattia, del suo dolore, il dolore di una donna, forse, chissà, della sua agonia, della sua morte, Pfau ne avrebbe fatto uno dei suoi romanzi per superficiali radical chic d'antan e giovani gonzi di oggi, uno di quei

Hans Tuzzi

Izzut snaH

was very fond of. She had found them, smuggled, packaged by mistake in a batch of books sent to her by a German bookseller. Many years before, when Pfau was not yet Pfau but rather a young, naïve and talented man, longing to scale the heights of success, yes, but still capable between long intervals, to look at the world. A name and a surname. The same ones that stood out on the milky white cover of the book resting on the drinks trolley. "...and you know what they call those two? The Teletubbies." Short, bubbling laughter, as he got himself another drink. "Anyway, there's not much to say, they all admitted it, the idea of the electrical appliances was ingenious. Who knows what the first five tools that were turned into electrical appliances were in the last decade of the nineteenth century? Of course, the sewing machine, the fan, the kettle, the toaster. But the fifth? The vibrator, which was used to treat hysteria, come on, who would ever have thought of that?"

The sunset of a June evening, the light of the Last Supper, the same light captured by Giotto in the chapel of the Scrovegni: a very bright blue glow, what the French call *l'heure bleue*.

"But are you listening to me?"

"Oh, sorry."

"I said: shall we go to the restaurant?"

For a second she felt lost: "No, I don't feel like it. Hasn't Bahati prepared anything?"

"I think so. Rice salad."

Once upon a time he would have asked her: "Why don't you feel like it?"

Once upon a time he would have asked her: "What did the doctors tell you?"

She took the scissors out from the vase, carefully wiped the blades, and put them back among the garden tools.

"You know, I'll be on TV twice more and have four radio interviews. They're good, those two, even of it's not easy with me because I ..."

The blades of the scissors, powerful and sharp, reminded her of the stork's beak. They were so common, storks, in Lower Austria. Beautiful, but ferocious. At bottom, marabous dressed by a skilled tailor. She had seen them more than once taking long snakes to their nest which writhed as they hung like streamers from their long beaks. That story by Kipling came to her mind, where a marabou clamped with its beak a fledgling and swallowed it alive in its featherless sac. And yet...

For you I mean
what the stork dares when it is in flight
the flight of the misty pinnacle...

suoi romanzi di prevedibilissime balzanità proposte come naturali – giochetti di prestigio d'infimo ordine sui quali debordava inesorabile la coda di pavone di un io logorroico e compiaciuto.

"... perché bisogna pur dirlo, questi costumi tutti italiani, queste polemiche speciose e gratuite, condotte in piena malafede, logorano il tessuto sociale, non vorrei essere banale nel dire che sono una piaga, ma davvero bisognerebbe trovare un'immagine forte, non so... sono... sono..."

"Ho il cancro".

Lo disse con voce piana, opaca, spenta.

Lui, senza guardarla, inclinò il capo sulla spalla destra, socchiudendo gli occhi. "Sì" concesse: "se vuoi possiamo definirlo un cancro, però confesso che da te mi sarei aspettato una metafora meno ovvia".

Lucera. Luce era. Da quel nome la luce colava lenta e uguale come la vernice dei maestri, come il miele di Rodin, come il tempo nella sala d'aspetto dell'ospedale, una vita prima.

Le parole, il cancro delle parole.

Tutta la vita le si sgretolò dentro, colpita da quel sorriso.

Il suo sorriso, quel sorriso così soddisfatto. Il corpo, quel corpo così sano, così ben nutrito, così ben accudito. Il ventre, quel ventre di stagione in stagione sempre più florido, che gonfiava le camicie come il gas una mongolfiera.

Gisela, sguardo fisso al muro.

Un'opera d'arte. Il filo spinato ingrommato di vernice scarlatta.

La vecchia forbice da sarto.

Il ventre, gonfio di vita.

La forbice, ingrommata di scarlatto. Un'opera d'arte?

He shook his head. Peacocks were hopeless at flying.

"And any way, just to go back to the envious defenders of the art of writing, the ones who claim a book is good only if it doesn't sell, you see, I instead ..."

Something didn't quite fit. But what is it that fits, in death?

Then, suddenly, the idea.

No, the vision.

The vision, the revelation that struck her, leaving her dismayed. Pfau would have made a novel out of it. Of her disease, her pain, the pain of a woman, perhaps, who knows, of her agony, of her death, Pfau would have made one of his novels of it for superficial vintage radical chic and today's young mugs, one of his novels of easily predictable oddities put forward as being natural – conjuring tricks of the lowest order on which the garrulous and self-satisfied ego of the peacock's tail inexorably spilled over.

"...because it just has to be said, these quintessentially Italian customs, these specious and gratuitous polemics, conducted in bad faith, wear out the social fabric, I would not like to be banal in saying that they are a scourge, but it would really be necessary to find a strong image, I don't know...I am...I am..."

"I have cancer."

She said it in a low voice, dull, emotionless.

He, without looking at her, bent his head on his right shoulder, half-closing his eyes. "Yes," he let himself say: "If you want we can call it cancer, but I must say that from you I would have expected a less obvious metaphor."

Lucera. Light that once was. From that name the light poured slow and identical like the paint of the masters, like Rodin's honey, like time in the hospital waiting room, one life earlier.

Words, the cancer of words.

All of her life crumbled within her, struck by that smile.

His smile, that smile so self-satisfied. The body, that body so healthy, so well nourished, so well cared for. The belly, that belly from one season to the next ever more florid, that swelled his shirts like gas in a hot-air balloon.

Gisela, staring fixedly at the wall.

A work of art. The barbed wire encrusted with scarlet paint.

The old tailor's scissors.

The belly, swollen with life.

The scissors, encrusted with scarlet. A work of art?

Choi Jeong Hwa

Choi Jeong Hwa, *Happy Happy*, 2009, LACMA, Los Angeles

Choi Jeong Hwa, *Happy Happy*, 2009, LACMA, Los Angeles

Choi Jeong Hwa è un artista e designer il cui lavoro si muove tra l'arte, la grafica, il design e l'architettura. Considerato un membro di spicco della Pop art coreana, Choi Jeong Hwa ha iniziato a lavorare negli anni Ottanta, quando la Corea stava intraprendendo un processo di industrializzazione particolarmente consistente. Questo processo forzato ha messo in evidenza il paradosso di un paese che, attraverso la crescita economica, veniva spinto verso una connotazione sempre più occidentale e che nello stesso tempo aveva un assoluto bisogno di conservare la propria identità culturale.

In questo contesto l'artista ha concentrato il suo interesse soprattutto sul rapporto tra naturale ed artificiale attraverso una riflessione sugli oggetti industriali. Sin dall'inizio della sua carriera ha portato avanti una ricerca su questi temi, attraverso l'attività performativa e con la produzione di opere d'arte e oggetti di design.

Oggi le sue opere mettono in scena fiori, colonne, alberi o intere foreste, ricostruite per mezzo di oggetti di plastica di uso comune in gran parte provenienti dalle discariche.

Così la plastica, simbolo principe della civiltà occidentale, viene prelevata dal suo contesto d'uso, artificiale e industriale, per essere inserita nel mondo dell'arte, diventando albero della vita, paradiso, mandala o colonna che unisce il cielo con la terra. Utilizzando materiali di uso comune o materiali che sono stati buttati via e che quindi su un piano industriale ed economico sono morti, l'artista coreano conferisce agli oggetti "una nuova collocazione spirituale che li rigenera. Rifacendosi anche al "Dongdo Seogi", una teoria che combina il Confucianesimo con la tecnologia occidentale, sembra che Choi voglia mettere in atto la teoria buddista della rinascita attraverso l'espressione artistica, considerare la plastica una materia che può essere rigenerata e trasformata in elemento naturale.

Volendo definire come "natura" ciò che viene vissuto quotidianamente dalle persone, il lavoro di Choi sulla plastica mette in evidenza come le cose artificiali siano oggi le più naturali: la sua pratica artistica porta il naturale verso l'artificiale e l'ar-

Anne Palopoli

Anne Palopoli

Choi Jeong Hwa is an artist and designer whose work wavers between art, graphic art, design, and architecture. Considered to be a leading figure in Korean Pop Art, Choi Jeong Hwa began working in the 1980s, when Korea was undergoing a particularly significant process of industrialization. This forced process has clearly shown up the paradox of this country, one that, thanks to its economic boom, is thrust toward an ever more Western connotation, but that at the same time must preserve its own cultural identity.

Within this context, the artist has especially focused on the relationship between the natural and the artificial by pondering industrial objects. Choi has carried forward his research into such themes from the very start of his career, creating performances and producing art and design objects.

Today, his works are a setting for flowers, pillars, trees and even whole forests, reconstructed by means of common plastic objects most of which come from landfills.

Hence, plastic, a true symbol of Western civilization, is taken from the context in which it is routinely used, i.e. both artificial and industrial, and included in the art world, thus becoming a tree of life, a paradise, a mandala, or a pillar, joining earth and sky. By using everyday and/or discarded materials, which, industrially and economically speaking, are defunct, the Korean artist offers such objects "a new spiritual location that regenerates them." By also referring back to "Dongdo Seogi," a theory that combines Confucianism with Western technology, Choi seems to be using his artistic expression to enact the Buddhist theory of rebirth, asking us to view plastic as a material that can be regenerated and transformed into a natural element.

By embracing the idea that everything that is experienced on a daily basis by people is actually "nature," Choi's work with plastic clearly shows that nowadays artificial objects are actually the most natural ones: his artistic practice brings the natural toward the artificial, and the artificial toward the natural, thus inverting and confusing the terms and the substances. If, on the one hand, natural forms are clearly reconstructed via artificial

Choi Jeong Hwa, *Breathing Flower*, 2014, Fukuoka Airport

Choi Jeong Hwa, *Breathing Flower*, 2014, Fukuoka Airport

tificiale verso il naturale, invertendo e confondendo i termini e le sostanze. Se da una parte delle forme chiaramente naturali vengono ricostruite attraverso oggetti artificiali, dall'altra la texture della cultura artificiale si mostra attraverso forme estremamente naturali.

Il lavoro di Choi riconosce e interiorizza il processo di produzione e consumo delle merci, riproponendolo nella pratica artistica, così le sue opere finiscono per analizzare ciò che compone il nostro quotidiano, l'abbondanza che contraddistingue la vita di ogni giorno, in un'attenta riflessione sul consumo, sull'idea di nuovo, di cambiamento o rinnovamento, sulla nostra attitudine all'usa e getta.

L'intento dell'artista, non è tanto inviare un messaggio ambientale ma piuttosto analizzare le nostre modalità di consumo, mettendole in mostra nella loro essenza ideologica.

Choi riprende profondamente le idee di autorialità o di originalità nell'arte: le sue istallazioni possono essere toccate, attraversate, percepite fisicamente dagli spettatori, in un annullamento della distanza tra il pubblico e l'oggetto d'arte. Così lo spazio tra l'opera e il fruitore, tradizionalmente ben delimitato, viene abolito non solo dall'utilizzo di un materiale di uso comune, povero e di riciclo, ma dalle istallazioni stesse, che, nel loro concepimento, vogliono annullare i confini di ciò che è, o che può essere, l'arte. L'artista coreano non ama che il suo lavoro venga incasellato, lascia la libertà al fruitore di definire liberamente le sue opere: il suo motto recita: "Il tuo cuore è la mia arte".

objects, on the other, the texture of artificial culture is revealed by way of extremely natural forms.

Choi's work acknowledges and internalizes the process of the production and consumption of goods, reviving it in artistic practice, so that his works end up analyzing what makes up the day-to-day, the abundance that distinguishes everyday life, for a careful reflection on consumption, on the idea of the new, on change and renewal, on our attitudes toward what is disposable. The artist's aim is not only to send a message as concerns the environment, but also, and more importantly, to analyze how we consume things by revealing them in their ideological essence.

Choi's work deeply involves the ideas of authorship and originality in art: his installations can be touched, crossed, and physically perceived by the viewers; the distance between the public and the art object is erased. Hence, the space between the work and the viewer, which is traditionally clearly determined, is abolished not just by the use of everyday, poor, or recycled material, but by the installations themselves which, in their conception, are aimed at eliminating the boundaries of what art is or can be. The Korean artist does not want his art to be classified. He grants the viewer complete freedom to define his works. And indeed, his motto is: "Your heart is My art."

Anne Palopoli

Anne Palopoli

Choi Jeong Hwa, *Kabbala*, 2013, Daeguartmuseum, Daegu

Choi Jeong Hwa, *Kabbala*, 2013, Daeguartmuseum, Daegu

Choi Jeong Hwa, *Fun! Fun! Fun!*, 2015, Swan Lake, Tainan

Choi Jeong Hwa, *Fun! Fun! Fun!*, 2015, Swan Lake, Tainan

Choi Jeong Hwa, *Red & Princess Chair*, 2014, Ghaseum Studio, Seul

Choi Jeong Hwa, *Red & Princess Chair*, 2014, Ghaseum Studio, Seoul

Choi Jeong Hwa

I peli della tartaruga e il corno del coniglio

The Turtle Hair and the Rabbit Horn

Il tuo cuore è la mia arte
I cesti di plastica dai colori sgargianti, ammucchiati in un angolo della galleria, creano uno spettacolo strano eppure familiare.
La superficie esterna della galleria è coperta di stoffe da quattro soldi comprate in un bazar notturno di Seul.
A volte, in un polveroso cantiere, si gonfia un gigantesco fiore di loto.
Fiori sbocciano sul ramo rinsecchito di un albero morto.
Un vistoso lampadario di plastica splende in un bar immerso nell'ombra.
Ci sono anche alberi; uno con frutti di tutti i generi e uno con ogni tipo di fiore.

Trasformo pezzi metallici di scarto in una magnolia. Gioco con magnetismi frammentari fino farli diventare una forma di vita.
La mia arte comincia nel momento in cui queste immagini insolite ti aprono la mente.

Meravigliosamente banale
Ho tappezzato lo stadio olimpico di Seul con dieci milioni di contenitori di plastica riciclata.
Ho raccolto sacchetti di patatine per costruire il tetto di una piazza.
Ho usato bandiere di carta di tutto il mondo per addobbare una sala conferenze nell'atrio di una biennale. Nelle mie mani gli attrezzi delle pulizie sono diventati fiori. Li ho composti come bouquet. Il mio linguaggio artistico consiste nel costruire uno spettacolo con oggetti ordinari della vita quotidiana e cercarvi un'armonia.

Your Heart is My Art
Neon-tinted plastic baskets, piled up around a corner of a gallery, create a strange yet familiar spectacle.
The outer surface of the gallery is covered by cheap fabrics from a night market of Seoul.
Sometimes, a gigantic lotus flower is inflated in a dusty construction site.
Flowers bloom on a dried branch of a dead tree.
A flamboyant plastic chandelier shines at a dark bar.
There are trees too; a tree with all kinds of fruits and a tree with every flower.

I turn scrap metals into magnolia. I fiddle with shattered magnetics until they become a life form.
My art begins when these unusual images open your mind.

Dazzlingly Trivial
With tens of millions of recycled plastic containers, I covered the Olympic stadium in Seoul.
I collected crisp packets to weave the canopy of a square.
I used paper flags from all over the world to decorate a conference room in a biennale hall. Cleaning tools became flowers in my hand. I made flower arrangement with them. My artistic language is to construct a spectacle with trivial objects of everyday life and to seek a harmony within that spectacle.

Raffinatamente kitsch

Cucio insieme/lego/accumulo gli oggetti che si trovano in giro, oggetti che vengono prodotti senza troppa cura; palloncini/perline/cesti di plastica.

Il meticoloso processo di composizione fa sì che alla fine, malgrado le loro umili origini, risultino monumentali.

Li ho presentati in una cattedrale barocca di Praga, all'ingresso principale di una grossa galleria, in una fabbrica di armi abbandonata e in un parco pubblico. Tutto, secondo me, è collegato.

Non esistono cose "inutili" o "usa e getta".

Umile fuori, solido dentro

In volo su una cicogna, in sella a un cavallo, sul guscio di una tartaruga, strisciando con una lumaca e serpeggiando insieme a una larva.

Tutti arrivarono lo stesso giorno, alla stessa ora, il primo dell'anno.

Una roccia, però, era già arrivata, semplicemente perché stava lì da sempre.

Bahn Chil Hwan

Gli edifici ammassati nell'angolo di un vicolo, come una roccia già arrivata perché è sempre stata lì, mi hanno sempre affascinato.

Provo rispetto per la stratificazione del tempo accumulato che si portano dietro.

Per questo, quando disegno nuovi edifici, mi preoccupo del modo in cui invecchieranno.

Mi piacerebbe progettare edifici che siano vicini alla vita reale, che partano da essa.

Gratto via tutte le cose finte dalle pareti per ripristinarne la grana originale prima di iniziare a lavorarci sopra.

La considero una pulizia profonda degli edifici, che li aiuta a essere umili fuori e solidi dentro.

La mia ricerca include termini come fresco, pieno di vita, fitto, mescolato, finto, affrettato, schifoso, variopinto, inconsistente, rumoroso, e noodles piccanti ai frutti di mare.

I miei lavori sono basati sull'"andar per vicoli".

Vagando tutto il giorno per strade strette, ascolto le storie di un vecchio ciottolo, una bambola scartata, uno specchio rustico e una coperta sbiadita.

"Appare bello solo dopo una lunga riflessione. Con te è lo stesso."

Elaborately Tacky

I weave/string/and pile up, the objects that one can easily find around, the objects which are made without too much of care; balloons/small beads/and plastic baskets.

The painstaking arrangement process, however, makes them end up being monumental despite of their humble origin.

I presented them at a Baroque cathedral in Prague, at a main hall in a huge gallery, at an abandoned weapons factory and at a public park. Everything is connected, I think.

There are no things which are "useless" or "disposable."

Humble Outside, Sound Inside

By flying a stork, by running a horse, by walking a turtle, by crawling a snail and by rolling a larva.

All arrived at the same day, at the same time, a new year's day.

A rock, however, had already arrived simply by sitting there.

Bahn Chil Hwan

The buildings tucked in a corner of a small alley, like a rock that had already arrived by sitting there, have always fascinated me. I respect the texture of accumulated time they bear.

That is why I concern the way in which the buildings age when I design the new ones.

I would like to design buildings which are close to, and from, the real life.

I scrape off all the fake things from the walls to restore the original texture before I begin to work on them.

I call it a deep-tissue-cleansing for buildings, which helps them to be humble outside and sound inside.

My aesthetic includes the vocabularies such as fresh, full of life, cramped, mixed, fake, hurried, lousy, colourful, flimsy, noisy, and spicy seafood noodle.

My works are based on "Alleying"

By wandering around small alleys all day, I listen the stories of an old pebble, a discarded doll, a rustic mirror and a faded-out blanket.

"It appears to be lovely only after long pondering. You are just like that."

Così ha scritto una volta Na Tae Joo.
Strani oggetti ai margini della vita mi aprono la mente e gli occhi.
La magnificenza degli ombrelloni al Moran Market.
Il futile splendore delle lucine di Natale.
Gli oggetti eleganti costruiti senza sforzo da donne coreane del posto.
Dopo essermici imbattuto, ho visto la vanità dell'arte istituzionalizzata.
L'arte sta qui vicino a me, non in una galleria.

Credere nell'invenzione

Il discorso fila.
Tutto nell'universo è arte
E io sento l'universo nelle piccole cose che mi circondano
Anch'esse diventano arte
Il futile, il futile, la futilità diventa arte
E sento la vacuità delle piccole cose che mi circondano
Anche l'arte è futile
Credo che la mia illuminazione produca arte
E oggetti futili e banali mi illuminano
Quindi la mia illuminazione è che l'arte non può che sembrare futile
L'arte è
Come credere a una tartaruga pelosa e a un coniglio-unicorno.

ottobre 2013   Choi Jeong Hwa

Na Tae Joo once wrote.
Strange objects at the fringe of life make my mind and eyes wide open.
The grandeur of parasols in Moran market.
The futile sparkle of Christmas decoration lamps.
The cool designs organically formed by local Korean women.
I realised the vanity of institutionalised fine art when I encountered them.
Art is right next to me, not in a gallery.

Believe-making

It makes sense.
Everything in the universe is art
And I feel the universe in small things around me
They too become art
Futile, futile, futility becomes art
And I feel the emptiness in small things around me
Art too is futile
I believe my enlightenment makes art
And futile, trivial things bring enlightenment to me
Therefore my enlightenment is that art seems inevitably futile
Art is
Like believe-making of hairy turtle and unicorn rabbit.

2013, October   Choi Jeong Hwa

Choi Jeong Hwa, *Cosmos, Natural Color, Multiple Flower Show*, 2014, Culture Station Seoul 284, Seul

Choi Jeong Hwa, Cosmos, *Natural Color, Multiple Flower Show*, 2014, Culture Station Seoul 284, Seoul

Choi Jeong Hwa, *Hubble Bubble*, 2010, Biennale di Sydney

Choi Jeong Hwa, *Hubble Bubble*, 2010, Sydney Biennale

Choi Jeong Hwa, *Golden Lotus, Breathing Tour*, project

98

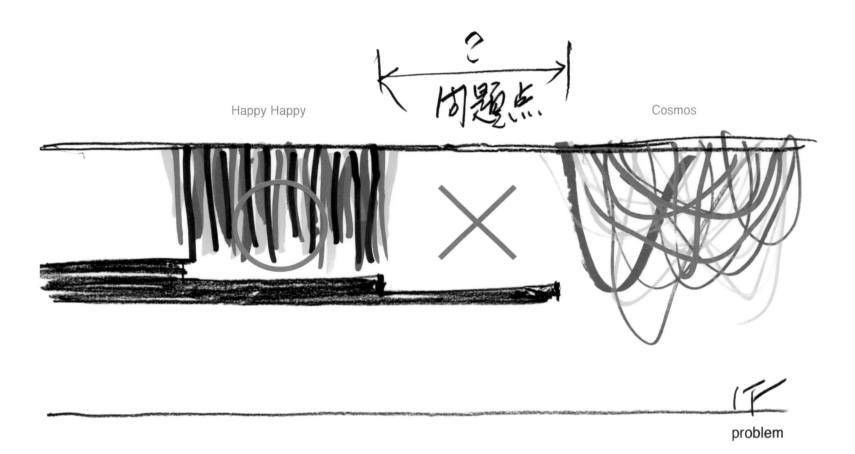

problem

Choi Jeong Hwa, sketch for Transformers

Didier Fiuza Faustino

Didier Fiuza Faustino, *This is not a Love Song*, 2014, © ADAGP, courtesy l'artista e Galeria Filomena Soares, Lisbona

Didier Fiuza Faustino, *This is not a Love Song*, 2014, © ADAGP, courtesy the artist and Galeria Filomena Soares, Lisbon

La pratica artistica di Didier Fiuza Faustino si incentra sulla relazione che si instaura tra il corpo e lo spazio che questo occupa. Le complessità e ambiguità di questa relazione vengono approfondite e analizzate attraverso una vasta pluralità di mezzi creativi che spaziano dai progetti architettonici alle installazioni, ai video, alle performance, alla produzione di oggetti di design o ai semplici testi.

Dopo la laurea in architettura nel 1995 alla scuola di Paris-Val de Seine, Faustino si dedica a diversi progetti in cui sviluppa da subito quei temi che rimarranno fondamentali in tutta la sua ricerca. Nel 1996 crea il *LAPS* (Laboratoire d'Architecture Performance et Sabotage), dove teorizza un forma di guerriglia per il riappropriamento degli spazi urbani. Nel 2002 fonda con Pascale Mazoyer, *Mésarchitectures* un'agenzia di ricerca politica e critica sulle condizioni in cui si costituiscono le relazioni nella società contemporanea. Nel 2000 realizza *Body in transit*, opera esposta alla Biennale di Venezia, dove si concentra sull'idea di limite, mettendo lo spettatore di fronte all'ambiguità del reale. Con *Starway to Heaven* (2001, Portogallo) una scala protesa verso una terrazza, vuole simboleggiare la tensione delle periferie urbane e sottolinearne l'urgenza politica e sociale. In *One square meter house*, (2006, Port d'Ivry-sur-Seine) viene denunciata la speculazione edilizia con la costruzione del più piccolo grattacielo del mondo, una torre abitabile alta 17 metri e con una base di 1mq.

Partendo dall'idea che gli spazi, gli oggetti e gli edifici sono delle interfacce tra l'individuo e la collettività, il lavoro di Faustino sembra voler spingere l'architettura e l'urbanistica verso l'arte, al punto da ampliare la connotazione simbolica e politica che spesso non viene loro attribuita. Ma per quanto il suo lavoro si muova, in una voluta ambiguità, sul limite tra queste due zone, Faustino rimane un architetto: il suo primo interesse è lo spazio, lo spazio politico, emotivo, sociale, costruito o relazionale.
Con rigore analitico Faustino costruisce prototipi effimeri che occupano i luoghi normalmente dedicati all'arte, analizzando, modificando e stravolgendo gli elementi archetipici dell'architettura. Come per il progetto *Rives de Saône* (2013) a Lione dove crea *Trompe le monde* (2013), una struttura di acciaio lucidato a specchio che accoglie il visitatore al suo interno, riflettendo il paesaggio che lo circonda. Lo spettatore si trova immerso in uno spazio, che è quello che normalmente vede ma il punto di vista è

Anne Palopoli

Didier Fiuza Faustino's art focuses on the relationship created between the body and the space it occupies. The complexity and ambiguity of this relationship is then delved into and analyzed by means of a vast plurality of creative means, ranging from architectural projects to installations, videos, and performances, as well as to the production of design objects and simple texts.

After earning a degree in architecture in 1995 at Paris-Val de Seine, Faustino began to focus on various projects in which he quickly developed the themes that would continue to be essential to all his research. In 1966 he created *LAPS* (Laboratoire d'Architecture, Performance et Sabotage,) where he theorized a guerrilla method addressed to repossessing urban spaces. In 2002 he founded, together with Pascale Mazoyer, *Mésarchitectures*, an agency that deals with political and critical research into the plight of the individual in contemporary society. In 2000 he produced *Body in Transit*, exhibited at the Venice Biennale, which focuses on the idea of restraint, and depicts for the viewer the ambiguity of what is real. *Stairway to Heaven* (2001, Portugal,) a staircase encased in a hall leading to a cage in which there is a basketball hoop, symbolizes the tension in the city outskirts, and emphasizes a sense of political and social urgency. In *One Square Meter House* (2006, Port d'Ivry-sur-Seine) building speculation is denounced by building the smallest skyscraper in the world, a tower that can be inhabited, measuring 55 feet in height and with a ten-square-foot base.

If we begin from the idea that spaces, objects, and buildings are an interface between an individual and the community, Faustino's work seems to want to thrust architecture and urban design towards art, to the point of broadening the symbolic and political connotations which they are often not attributed. However, although the artist's work moves, in deliberate ambiguity, along the borderline between these two zones, Faustino remains an architect: his main interest is space – political, emotional, social, built and relational.
With analytical rigor Faustino builds ephemeral prototypes that occupy places normally dedicated to art, analyzing, modifying, and completely overturning architecture's archetypal elements. This can be seen in the project *Rives de Saône* (2013) in Lyon, where the artist created *Trompe le Monde* (2013), a structure in polished stainless steel that welcomes visitors inside, while reflecting the surrounding landscape. The viewer is immersed in a space, which is the one he or she normally sees, but the point

Didier Fiuza Faustino, *Body in Transit*, 2000, © ADAGP, courtesy l'artista e Galeria Filomena Soares, Lisbona

Didier Fiuza Faustino, *Body in Transit*, 2000, © ADAGP, courtesy the artist and Galeria Filomena Soares, Lisbon

completamente diverso. Le sue opere presentano delle soluzioni architettoniche che non sono affatto conformiste e spingono lo spettatore verso risposte sempre più radicali, provocanti e disagevoli.

Integrando la "disfunzione come vettore di produzione spaziale" l'architettura di Faustino si definisce grazie alle componenti sensibili piuttosto che a quelle geometriche, materiche e materiali. L'architettura nasce dall'instabilità creata dal suo esperirla e porta il fruitore alla consapevolezza dell'"esserci" in un dato spazio. L'artista riflette sul modo in cui i corpi e gli oggetti si orientano, integrano e contrappongono al territorio, alla realtà o allo spazio in cui si trovano.

Didier Fiuza Faustino parte dal presupposto che spinge l'architetto a manipolare lo spazio pubblico con gli strumenti del potere: ordine, organizzazione, controllo e sorveglianza. Insieme all'urbanista, l'architetto costruisce la città attraverso questi codici, mentre l'artista viene solitamente chiamato soltanto per riempire, o decorare, quegli spazi. Volendo invertire le priorità ideologiche dell'architettura, ciò che lo interessa è mettere in campo la disfunzione e la rottura nell'uso comune delle cose, fino quasi a produrre un malessere dell'utente nello spazio pubblico, sfuggire al controllo per provocare inquietudine, apprensione del pericolo, rompere la certezza dell'organizzazione, togliere l'a priori che si ha normalmente nei confronti di alcuni oggetti o materiali, offrendo la massima libertà possibile alla percezione e alla fruizione. Come nel progetto *Memories of tomorrow* (Parigi, 2012) in cui le transenne, elemento che viene normalmente utilizzato per controllare e regolare diventa un creatore di spazi altri; o con *Fight club* (2004) o *Temporary Autonoumus Zone* (2004) luoghi dove le persone possono combattere tra di loro, piattaforme di discussione in cui confrontarsi, spazi fuori dal controllo della società in cui vigono regole e leggi straordinarie.

La differenza tra arte e architettura è sulla scala, cioè sulla complessità dell'uso, così fare dell'architettura una forma d'arte sembra essere per Faustino anche un modo per mettere in risalto i limiti insiti nell'architettura come forma espressiva. Un progetto deve esistere per ciò che veicola e un architetto deve porsi delle domande, agire politicamente e non "essere", come dice lo stesso Faustino, "semplicemente un fabbricante del secolo della distruzione".

Anne Palopoli

Anne Palopoli

of view is completely different. The artist's works present architectural solutions that are in no way conformist, and often encourage the viewer towards increasingly radical, provocative, and uncomfortable answers.

By integrating "dysfunction as vector of spatial production," Faustino's architecture is based on sensitive components rather than geometric, textural and material ones. This architecture is born from the instability created by its being experienced, and it leads the user to the awareness of "being there" in a given space. The artist ponders the way bodies and objects are oriented, how they integrate and contrast with the territory, with reality or with the space they find themselves in.

Didier Fiuza Faustino starts out from the idea that encourages the architect to use the instruments of power to manipulate public space: order, organization, control, and surveillance. Along with urban design, the architect uses these codes to build the city, while the artist is usually only summoned to fill and/or decorate these spaces. In his attempt to invert the ideological priorities of architecture, Faustino is interested in fielding the dysfunction and breakdown in the ordinary use of things, to the extent that he comes close to reproducing the malaise of the user in public space as he escapes control; disquietude and fear of danger are provoked instead. The artist breaks away from the certainty of what is organized, removing the *a priori* that is normally observed in certain objects and materials, instead offering perception and use the greatest amount of freedom possible. An example of this is the project *Memories of tomorrow* (Paris, 2012) in which an enclosure, an element that is normally used to control and regulate, becomes the creator of other spaces. The same may be said for *Fight Club* (2004) or for *Temporary Autonomous Zone* (2004), places where people can fight each other; these are platforms for discussion, spaces that lie outside of society, where extraordinary rules and laws are enforced.

The difference between art and architecture can be seen in its scale, that is, its complexity of use. Hence, for Faustino, turning architecture into an art form is also a way of emphasizing the limits inherent to architecture as a form of expression. A project exists based on what it can convey, and an architect must pose him/herself questions, and act politically; as Faustino himself says, he or she must not "merely be a maker in the century of destruction."

Didier Fiuza Faustino, *Memories of tomorrow*, 2013, © ADAGP, courtesy l'artista e Galerie Michel Rein, Parigi / Bruxelles, realizzata grazie al sostegno di Transpalette, Bourges

Didier Fiuza Faustino, *Memories of tomorrow*, 2013, © ADAGP, courtesy the artist and Galerie Michel Rein, Paris / Brussels, realised with the support of Transpalette, Bourges

Didier Fiuza Faustino, *Revolution(s)*, 2004, © ADAGP, courtesy l'artista e Galerie Michel Rein, Parigi / Bruxelles, photo Marc Domage

Didier Fiuza Faustino, *Revolution(s)*, 2004, © ADAGP, courtesy the artist and Galerie Michel Rein, Paris / Brussels, photo Marc Domage

Didier Fiuza Faustino, *Point Break*, 2009, © ADAGP, courtesy l'artista e LA×ART, Los Angeles, photo Kelly Barrie

Didier Fiuza Faustino, *Point Break*, 2009, © ADAGP, courtesy the artist and LA×ART, Los Angeles, photo Kelly Barrie

Didier Fiuza Faustino, *Hand Architecture*, 2009, © ADAGP, courtesy l'artista e Galerie Michel Rein, Parigi / Bruxelles

Didier Fiuza Faustino, *Hand Architecture*, 2009, © ADAGP, courtesy the artist and Galerie Michel Rein, Paris / Brussels

Didier Fiuza Faustino

Sulla perdita di se stessi

On the Loss of Oneself

Viviamo in un'epoca dominata dall'impossibilità di fuggire, nella quale il soggetto o chi per esso, diventa una finalità, un territorio da conquistare e rivendicare. Preda di flessibilità e mobilità – parole ormai fondamentali della nostra società contemporanea – i nostri corpi sono costantemente in movimento, senza che però noi siamo tornati ad essere nomadi. Questo perché ogni passo, ogni movimento è tracciato, codificato. In una realtà connessa e aumentata, anche il moto è diventato uno strumento di controllo e di esercizio del potere. L'uomo moderno non è né libero, né nomade; è un sedentario in movimento, continuamente geolocalizzato e che contribuisce di sua mano alla propria reperibilità, attraverso l'utilizzo narcisista dei social network.

In questo contesto, l'architetto ha abbandonato il proprio obiettivo "di programmazione" dei grandi numeri, per lasciare spazio a tentativi processuali e sensibili. In alcuni casi, il movimento è stato anticipato, introdotto come un nuovo elemento (sotto l'influenza di artisti come Gordon Matta-Clark o Krzysztof Wodiczko). Questo ha dato luogo ad architetture mobili, nomadi e temporanee in opposizione alla concezione occidentale dell'architettura, immutabile, perenne, patrimoniale. L'architetto si è comunque liberato dai propri obblighi, concependo architetture di contro-potere, alternative.

All'inizio delle mie ricerche, ho comunque fatto la scelta di prendere le cose in contropiede perché mi sembrava fondamentale, in quanto artista e architetto, non dare nulla per scontato e rimettere sempre in causa le evidenze, i fondamentali. Perché l'architettura dovrebbe essere piatta, stabile, piacevole?... Come può l'architettura far fronte al mondo, inclusa la sua parte inenarrabile?

We are living in a time when the impossibility of escaping dominates, where the subject wherever it may be becomes an objective, a territory to be conquered and claimed. Under the cover of flexibility and mobility – keywords in our contemporary societies – our bodies are constantly being displaced, without our having become nomads once more, as far as I know. For each step we take, each movement we make is traced, codified. In a bigger, connected world displacement itself has become an object for control and for the application of power. Modern man is neither free, nor nomadic; he is a sedentary figure in movement, perpetually geo-located, someone who contributes to his own tracking via the narcissistic use of social networks.

Within this context, the architect has freed himself from his objective of "cataloguing" the majority in favor of procedural and sensitive attempts. In certain cases, movement is anticipated, indeed introduced as a new element (under the influence of artists like Gordon Matta-Clark or Krzysztof Wodiczko.) The result of this are mobile, nomadic and temporary architectures, which are the opposite of the Western concept of architecture, i.e. unmoving, perennial, heritage-related. The architect has also freed himself of his obligations by conceiving alternative architectures that run counter to power.

When I first began my research, I too hoped to go against the tide, as it seemed crucially important to me, as both an artist and an architect, to not take anything for granted, and to always challenge the evidence, the fundamentals. Why should architecture be smooth, permanent, pleasant?...How can architecture face up to the world, including therein the unnamable?

Nel 2000, quando ho ideato per la Biennale d'architettura di Venezia l'opera *Body in Transit*, un container per viaggiatori clandestini, volevo pensare un'architettura nella sua forma e funzione più estrema. In quel periodo avevano fatto notizia molti casi di uomini e bambini che avevano viaggiato clandestinamente nei carrelli d'atterraggio degli aerei e che erano stati ritrovati senza vita. L'obiettivo di quest'opera – in questo contesto e in quello di una Biennale che metteva in evidenza una città con maggiore etica e meno estetica – non era quello di proporre una soluzione, ma di mettere in evidenza un dramma umano. Una sorta di dimostrazione per assurdo.

Quest'opera ha segnato l'inizio di un lavoro di riflessione sul mio essere uomo, cittadino e attore politico così come architetto e artista, con lo scopo di produrre nuove possibilità come strumenti di resistenza e presa di coscienza.

Testimonia inoltre la scelta della via di mezzo e dell'interstizio come territorio per sfuggire a una cartografia totale dove tutto è regolato, catalogato, localizzato. Un territorio per una architettura furtiva.

Oggi, la questione della migrazione, della fuga e del rifugio non potrebbero essere più d'attualità, in particolare nella regione mediterranea. È per questo che ho voluto sviluppare *Lampedusa* (2015), quindici anni dopo *Body in transit*, di cui è, in un certo senso, l'eco contemporanea. Quest'opera, una sorta di segnale luminoso, di boa di salvataggio, fa direttamente riferimento al dipinto *La zattera della Medusa* di Théodore Géricault. È la rappresentazione di una tragedia, un fermo immagine per parlare di umanità e di inumanità e per far riflettere su questo momento di transito che è anche un momento di transizione. Un transito fra due rive, fra due continenti e una transizione fra due status, da naufrago a rifugiato. *Lampedusa* come rivelatore che reincarna il tragico conteggio del nuovo spazio tempo che è il Mediterraneo; interstizio dove le politiche migratorie e sociali non hanno presa. Ancora una volta, non è la soluzione al problema, ma il simbolo della sua complessità. Un'architettura del fallimento, una "misarchitettura".

Continuando questa riflessione, *Exploring Dead Buildings 2.0* (2015) svela gli strati di un'anomalia di sistema attraverso le rovine di un edificio. L'atto di creazione è multiplo. Si esprime attraverso l'elaborazione di strutture protesiche permettendo l'e-

In 2000, as I was working on *Body in Transit*, a storage container to transport a human being in flight, for the Venice Architecture Biennale, I began to think about architecture that is at its extreme in terms of form and function. At the time, many cases of adults and children who had travelled illegally inside aircraft landing gear and been found either dead or alive, had hit the headlines. The purpose of that work – within this context and in that of a Biennale advocating a city with more ethics and less aesthetics – was not to offer a solution, but clearly to reveal a human tragedy. It was a sort of *reductio ad absurdum*.

This work marks the start of my reflections on my position as a man, citizen, and political actor as well as architect and artist, and my ambition to produce new possibilities as tools for resistance and consciousness-raising.

This also bears witness to the choice of the gap and the interstice as territory, moving away from a total cartography where everything is regulated, catalogued, localized. This was a territory for furtive architecture.

The issue of migration, flight, and seeking refuge could hardly be more topical today, particularly in the Mediterranean area. That is why I have decided to develop the work *Lampedusa* (2015), fifteen years after *Body in Transit*, of which in many ways it is a contemporary echo. This work, a sort of beacon or life preserver, directly refers to the painting *Le radeau de la méduse* (The Raft of the Medusa) by Théodore Géricault. It is the representation of a drama, a still image that speaks of humanity and inhumanity, and that calls for a reflection on this moment of transit which is also a moment of transition. A transit between two shores, two continents, and a transition between two states, from a man to a person who is shipwrecked, from a man to a refugee. *Lampedusa* is like a barometer that embodies the macabre calculation of the new time and space that is the Mediterranean sea; it is an interstice where migrant and social policies have no effect. Once again, it is not a solution to the problem, rather, it is a symbol of its complexity. An architecture of failure, a "mesarchitecture."

Continuing along these lines of thinking, *Exploring Dead Buildings 2.0* (2015) unveils the layers of a flawed system via the ruins of a building. The creative act is multiple. It is expressed

splorazione dell'edificio abbandonato – la Escuela de ballet de La Havana lasciato in rovina ancora prima di essere terminato – ma anche attraverso la documentazione di questa esplorazione sia che si tratti dello spazio messo a nudo che degli esploratori stessi. L'uno come gli altri sono testimoni di un fallimento e di una transizione, di un passato, un paradiso perduto, verso un futuro incerto. La cattura di questo tempo presente rivela uno spazio intermedio, uno stato di libertà temporanea. L'edificio non esiste né per ciò che non è mai stato né per ciò che diverrà. È là, al di là, in uno stato fittizio, vera eterotopia. Gli uomini che lo esplorano, allo stesso modo, non ne sono gli utilizzatori né i testimoni. Lo abitano e lo modellano attraverso la propria storia e il proprio sguardo intimo. Una volta all'interno di questo territorio isolato, partono alla deriva per costruirne un nuovo immaginario.

Il filo conduttore di questi tre progetti è la questione della traiettoria, del movimento e della libertà.
La *flânerie* del XIX secolo, rivendicata, in maniera inopportuna, si è trasformata poco a poco nel suo opposto, una sorta di sovra-orientamento il cui contrario sarà una deriva più che un disorientamento.
Da qui la necessità di proporre alcuni oggetti di traiettoria, ostacoli di sopravvivenza, gabbie prostetiche. Come si può infatti creare uno spazio di libertà se non infilandosi negli spazi intermedi, oltrepassando una griglia tridimensionale dove l'umano non esiste più, spostandosi da una narrazione lineare per arrivare a un racconto necessariamente destrutturato come è quello del sogno? Come si possono proporre nuove possibilità se non articolando i corpi, i loro ostacoli e i loro movimenti?

through the elaboration of prosthetic structures that permit the exploration of an abandoned building – the School of Ballet in Havana, Cuba, allowed to become derelict even before it had been finished –, but also through a documentation of this exploration, whether we are dealing with the space laid bare by the scouts/explorers themselves. This work, like the others, bears witness to a failure and a transition, a past, a paradise lost, towards an uncertain future. By capturing this present time a gap is revealed, a state of temporary freedom. The building exists neither for what it has never been, nor for what it will become. It is over there, yonder, in a fictitious state, a veritable heterotopia. The men who cross it are neither its users, nor its witnesses; they inhabit it, and they shape it to fit their own stories, their intimate gaze. Once inside this separate territory, they drift away in order to build a new imaginary.

The common thread linking these three projects is, ultimately, the question of the trajectory, displacement, and freedom.
The idleness of the nineteenth century that made its claim to go against time has gradually been transformed into its opposite, a sort of sur-orientation in which the opposite will be a drift more than a disorientation.
On this is based the need to offer objects of trajectory, some objects of survival, prosthetic cages. How can one create spaces of freedom if not by infiltrating a gap, by overtaking a three-dimensional grid where the human being no longer exists, by deviating from a linear narrative to join together a necessarily destructured narrative, like that of a dream? How are we supposed to propose new possibilities if not by articulating the bodies, their shackles, and their displacements?

Didier Fiuza Faustino, *Explorers*, 2015, © ADAGP, courtesy l'artista e Galeria Filomena Soares, Lisbona

Didier Fiuza Faustino, *Explorers*, 2015, © ADAGP, courtesy the artist and Galeria Filomena Soares, Lisbon

Didier Fiuza Faustino, *Explorers*, 2015, © ADAGP, courtesy l'artista e Galeria Filomena Soares, Lisbona

Didier Fiuza Faustino, *Explorers*, 2015, © ADAGP, courtesy the artist and Galeria Filomena Soares, Lisbon

Didier Fiuza Faustino, *Explorers*, 2015, © ADAGP, courtesy l'artista e Galeria Filomena Soares, Lisbona

Didier Fiuza Faustino, *Explorers*, 2015, © ADAGP, courtesy the artist and Galeria Filomena Soares, Lisbon

Didier Fiuza Faustino, *Explorers*, 2015, © ADAGP, courtesy l'artista e Galeria Filomena Soares, Lisbona

Didier Fiuza Faustino, *Explorers*, 2015, © ADAGP, courtesy the artist and Galeria Filomena Soares, Lisbon

Didier Fiuza Faustino, *Lampedusa* (models), 2015, © ADAGP, courtesy l'artista e Galeria Filomena Soares, Lisbona

Didier Fiuza Faustino, *Lampedusa* (models), 2015, © ADAGP, courtesy the artist and Galeria Filomena Soares, Lisbon

Didier Fiuza Faustino, *Lampedusa* (schizzo), © ADAGP, courtesy l'artista e Galeria Filomena Soares, Lisbona

Didier Fiuza Faustino, *Lampedusa* (sketch), 2015, © ADAGP, courtesy the artist and Galeria Filomena Soares, Lisbon

Martino Gamper

Gamper ha cominciato il suo percorso artistico collaborando con un ebanista di Merano. Questa esperienza pone le basi del suo lavoro, una pratica incentrata sull'utilizzo di oggetti e materiali preesistenti cui conferisce nuova energia, in un passaggio dal design all'arte.

Laureatosi all'Accademia di Belle Arti di Vienna, collabora con Matteo Thun prima di trasferirsi a Londra per completare il suo ciclo di studi presso il Royal College of Art. Nel suo progetto *100 Chairs in 100 Days* iniziato nel 2005, ha raccolto una serie di sedie usate per smontarle e selezionarle "anatomicamente", per poi rimetterne insieme i componenti dando corpo a nuove forme che ribattezzava con nuovi nomi. Di lì sono nate una serie di evoluzioni: nel 2007 con i mobili disegnati da Gio Ponti negli anni Sessanta per l'hotel Parco dei Principi di Sorrento, Gamper realizza, attraverso una pratica performativa, *If Gio Only knew*. L'anno successivo con *Martino with Mollino* lavorerà sulle sedie di Carlo Mollino.

Gamper crea delle composizioni in cui vengono accostati democraticamente, pezzi di design e di poco valore, oggetti particolari, non sempre funzionali che sono spesso il frutto di ironici accostamenti. Considerando il design non soltanto legato al consumo, ma anche al riutilizzo, Gamper ridisegna oggetti a partire dalla loro collocazione originale, assegnandogli di fatto una nuova e differente funzione. Un progetto significativo è quello di *Base Alpha*, realizzato a Nichelino (Torino) nell'ambito di *Nuovi Committenti* nel 2013, dove utilizza cartelli stradali o lampioni dismessi, per creare uno spazio con nuove funzioni sociali. "Il riutilizzo" ha dichiarato, "è una grande forma di creatività, anche se non di creatività totale. Quello che cerco di fare io è, in fondo andare oltre il disegno industriale 'tradizionale', quello espresso nella digitalizzazione di uno schizzo dell'architetto".

Ma il lavoro di Gamper è soprattutto una ricerca metodologica: il processo di progettazione, di realizzazione e poi di produzione degli oggetti è al centro della sua riflessione artistica. Quello che affascina il designer è soprattutto il lavoro che c'è dietro la realiz-

Anne Palopoli

Gamper debuted as an artist by collaborating with a furniture-maker from Merano, an experience that laid the foundations for his work, which focuses on the use of pre-existing objects and materials to which he transfers new energy, thus transforming them from design to art.

After earning a degree at the Fine Arts Academy in Vienna, Gamper worked with Matteo Thun, and later moved to London where he completed his studies at the Royal College of Art. In his project *100 Chairs in 100 Days*, begun in 2005, he dismantled a series of used chairs, "anatomically" selected the parts, and then reassembled them to create new forms which he then renamed. From this first project a series of evolutions were born: in 2007 using furniture designed by Gio Ponti in the 1960s for the Hotel Parco dei Principi in Sorrento, Gamper created, through a performative practice, *If Gio Only Knew*, and the following year, he made *Martino with Mollino* out of chairs designed by Carlo Mollino.

Gamper creates compositions in which design pieces of little value, particular objects that are not always functional and are often the product of ironic combinations, are democratically matched. Gamber believes that design is not only related to consumerism, but to reuse as well; he redesigns objects starting from their original placement, and gives them new and different functions. The project *Base Alpha*, created in Nichelino (Turin) as part of the 2013 event *Nuovi Committenti*, involved the use of street signs and abandoned street lamps to create a space with new social functions. "Reuse," the artist remarks, "is a great form of creativity, even if it is not total creativity. What I try to do at bottom is go beyond 'traditional' industrial design, the kind that's expressed in the digitalization of an architect's sketch."

But Gamper's work mainly involves methodological research: the process of designing, creating, and then producing objects is at the heart of his artistic thinking. What enthralls the designer is above all the work that lies behind the creation of an object when it is produced by someone else, discovering what's behind the

zazione di un oggetto, quando è prodotto da altri. Poter scoprire cosa c'è dietro i materiali di design o di riciclo che utilizza e capire cosa pensavano i designer che li hanno prodotti, prima di lui. Fin dall'inizio della sua ricerca, Gamper si è interessato non solo alla progettazione dell'oggetto ma anche agli aspetti psicologici e sociali che competono al design. Trasformando mobili dismessi, crea delle inconsuete famiglie di oggetti che custodiscono una storia originale su materie, tecniche, luoghi e persone. Il prodotto finito è per lui una sintesi di tutto questo. Nel costruire un'opera o un'installazione compie degli studi preparatori per poi deciderne lo sviluppo durante la realizzazione. "Ogni oggetto ha il suo momento di gloria e una volta che questo è passato, ogni singolo pezzo dovrebbe essere reinserito nel ciclo evolutivo" sostiene Gamper. "Dunque, perché dovrei venerare un oggetto prodotto industrialmente se ne esistono ancora centinaia di copie, che poi sono prodotti seriali che il loro progettista non ha mai toccato né visto?". E così, interviene sugli oggetti, trasformandoli, mescolandoli, riassemblandoli: cambia il destino degli arredi modificando anche la logica produttiva che li ha accompagnati, trattando allo stesso modo semplici pezzi ed oggetti-mito.

design or recycled materials he uses, and understanding what the designers that produced it before him had in mind. From the onset of his research, Gamper has been interested not only in the designing of the object, but also in the psychological and social aspects involved in the design itself. By transforming abandoned furniture, the artist creates unusual families of objects that harbor an original history of materials, techniques, places, and people. For Gamper the finished product condenses all these things. In building a work or an installation he carries out preparatory studies and then decides how to develop his ideas. "Each object has its moment of glory, and once that has passed, each piece will have to be put back inside the evolutionary cycle," Gamper says. "Why should I venerate a mass-produced object when there are still hundreds of them around, serial products that their own designer has never touched or seen?" And so he intervenes in objects, transforming them, mixing and matching them, reassembling them: he changes the destiny of the objects he makes by modifying the productive rationale that accompanied them, treating both simple pieces and objects-cum-legends in the exact same way.

Anne Palopoli

Anne Palopoli

Martino Gamper, *Wouldn't It Be Nice… Wishful Thinking in Art & Design*, 2007 – 2008, Centre d'Art Contemporain Genève, Museum für Gestaltung Zürich, Somerset House London, courtesy l'artista, photo Angus Mill

Martino Gamper, *Wouldn't It Be Nice… Wishful Thinking in Art & Design*, 2007 – 2008, Centre d'Art Contemporain Genève, Museum für Gestaltung Zürich, Somerset House London, courtesy the artist, photo Angus Mill

Martino Gamper, *Art & Business Culture House dinner*, Londra, maggio 2009, Art & Business Culture House, cena creata da *The Trattoria Team – Martino Gamper, Maki Suzuki e Kajsa Stahl*, courtesy l'artista, Maki Suzki e Kajsa Stahl, photo Amit Lennon

Martino Gamper, Art & Business Culture House dinner, London, May 2009, Art & Business Culture House, dinner created by The Trottoria Team – Martino Gamper, Maki Suzuki and Kajsa Stahl, courtesy the artist, Maki Suzki and Kajsa Stahl, photo Amit Lennon

Martino Gamper, *Condominium*, *Martino Gamper*, 20 settembre - 24 ottobre 2011, Galleria Franco Noero, courtesy l'artista / Galleria Franco Noero, photo Sebastiano Pellion di Persano

Martino Gamper, *Condominium*, *Martino Gamper*, September 20 - October 24, 2011, Galleria Franco Noero, courtesy the artist / Galleria Franco Noero, photo Sebastiano Pellion di Persano

Martino Gamper, *Wouldn't It Be Nice... Wishful Thinking in Art & Design*, 2007 - 2008, Centre d'Art Contemporain Genève, Museum für Gestaltung Zürich, Somerset House London, courtesy l'artista, photo Angus Mill

Martino Gamper, *Wouldn't It Be Nice... Wishful Thinking in Art & Design*, 2007 - 2008, Centre d'Art Contemporain Genève, Museum für Gestaltung Zürich, Somerset House London, courtesy the artist, photo Angus Mill

Emily King

Come Together

testo selezionato da Martino Gamper

Come Together

text chosen by Martino Gamper

Martino Gamper crea straordinari punti di contatto: una banale sedia di plastica da esterni stretta nell'abbraccio di un'elegante sedia da salotto; un elastico di nylon imbottito di polistirolo sull'intelaiatura di una sedia Thonet; una plastica gonfiata color turchese trasparente legata al legno ricurvo. Nel 2006-7, Gamper ha prodotto *100 sedie in 100 giorni*, tutte a partire da componenti pre-esistenti – mobili, veicoli, strumenti musicali, luci, giocattoli e cianfrusaglie varie – inchiodando, tagliando, incollando, legando, incastrando, saldando, drappeggiando e tenendo in equilibrio questi materiali disparati in una serie di sedute misteriosamente pittoresche. Esposte per la prima volta in ordine sparso nel lussuoso soggiorno di una grande casa vittoriana in Cromwell Road, nella parte ovest di Londra, ricordavano i personaggi di un disegno di Saul Steinberg, anche se la festa sembrava essere iniziata prima del tuo arrivo.

Nella pubblicazione che le accompagnava, *100 Chairs in 100 Days and its 100 Ways* (2007), Gamper descrive le sedie come "un taccuino di schizzi tridimensionali" e "una collezione di possibilità". Mostra notevoli capacità artigianali, anche se il progetto confina con l'anti-artigianato; la sua rapidità e spontaneità non può essere troppo lontana dalla fiducia del design commerciale nell'idea di perfezione attraverso la ripetizione. "Volevo dimostrare […] quanto è difficile che un singolo progetto possa essere oggettivamente giudicato come IL MIGLIORE", continua Gamper. Alla mostra di Cromwell Road, davanti a questa centupla reinvenzione della sedia, una valutazione isolata dei singoli pezzi risultava difficile, ma mi sono divertito a scegliere i miei preferiti. *Cathedra Rassa* (4 agosto 2006) sembra mutilata, ma è comoda

Martino Gamper creates extraordinary points of contact: a generic outdoor seat in the tight embrace of a bourgeois dining chair; polystyrene-filled, stretchy nylon straining against a Thonet frame; transparent, inflated turquoise plastic, strung across curved wood. In 2006-7, he made *100 Chairs in 100 Days*, all from pre-existing parts – furniture, vehicles, musical instruments, lights, toys and various other odds and ends – nailing, splicing, sticking, tying, jamming, welding, draping and balancing these disparate materials into a set of uncannily characterful seats. First shown dotted around the substantial drawing room of a large Victorian terraced house in Cromwell Road, west London, they had the air of characters in a Saul Steinberg cartoon, though the party appeared to have begun before you had arrived.

Writing in the ensuing publication, *100 Chairs in 100 Days and its 100 Ways* (2007), Gamper describes the chairs as "a three-dimensional sketchbook" and "a collection of possibilities." He has considerable craft skills, despite the project verging on the anti-craft; its speed and spontaneity couldn't be further from mainstream design's faith in the idea of perfection through repetition. "I wanted […] to demonstrate the difficulty of any one design being objectively judged THE BEST," continues Gamper. At the Cromwell Road exhibition, faced with his hundredfold reinvention of the chair, detached evaluation of individual pieces was tricky, but playful assessment threw up personal favourites. *Cathedra Rassa* (August 4, 2006) appears stunted, but is a useful resting place for a drink; *Un-stable* (September 2, 2007) is beneficial to core muscles; and *Olympia*

per appoggiarci un drink; *Un-stable* (2 settembre 2007) rafforza i muscoli centrali; e *Olympia* (2 agosto 2006), con la sua rete di sostegno complessa e delicata di anelli di legno piegato, è semplicemente adorabile.

Per quanto riguarda la forma delle cento sedie, Gamper ha fatto proprio il motto dell'influente designer del XX secolo, Achille Castiglioni: "comincia da capo". I suoi metodi, però, hanno seguito le regole da lui fissate all'inizio del progetto. Usando solo materiale trovato sulle strade di Londra o donato dagli amici, ha costruito ogni sedia in un giorno. Spingendosi oltre il pigro cliché di trovare la bellezza nel quotidiano e nel banale, Gamper ha preso oggetti che erano tristi e ordinari e li ha rielaborati in una serie di oggetti affascinanti. Sarebbe un errore ridurre il suo impegno di velocità e approssimazione del gesto alla trascuratezza. Pur costruite in fretta, le sedie mostrano una notevole padronanza formale.

Prima di dedicarsi al design, Gamper ha studiato scultura con Michelangelo Pistoletto all'Accademia di Belle Arti di Vienna; l'Arte Povera è un punto di riferimento molto evidente nel suo lavoro. Pur non negando questa ispirazione, enfatizza l'importanza del contesto: mettere in discussione la gerarchia dei materiali nell'Italia alla fine degli anni Sessanta era un gesto politico decisamente provocatorio, nella Londra dell'inizio del XXI secolo si tratta di un'operazione molto più diffusa e concreta. Ripensando a *100 Chairs*, Gamper afferma che il progetto era ispirato soprattutto al pragmatismo: il desiderio di progettare oggetti, coniugato alla limitata disponibilità di fondi. Uno stato di cose che il progetto stesso è servito a cambiare: la reazione alle sedie è stata entusiastica.

Dopo *100 Chairs*, Gamper ha ripreso lo stesso procedimento altre volte, anche se il valore del materiale grezzo aumenta a ogni nuova versione. Eseguito a un evento dal vivo alla fiera del design del 2007 di Basilea, *If Gio Only Knew* comportava la ricostruzione di una collezione di mobili disegnata da Gio Ponti per l'Hotel Parco dei Principi a Sorrento. Anche se i pezzi erano danneggiati e non costituivano esempi particolarmente fulgidi del lavoro di Ponti, il progetto ha sollevato un polverone. Per alcuni espositori, gli oggetti che Gamper scomponeva e ricostruiva mostravano una somiglianza imbarazzante con quelli offerti a prezzi vertiginosi nei vicini stand. Come *100 Chairs*, *If Gio Only Knew* aveva una sua bellezza distintiva e peculiare; gli oggetti erano riconoscibili

(August 2, 2006), with its complex and delicate supporting mesh of bent wood rings, is simply lovely.

In terms of the forms of his 100 chairs, Gamper adhered to influential twentieth-century designer Achille Castiglioni's dictum: "start from scratch." His methods, however, followed rules he had established from the beginning of the project. Using only material found on London's streets or donated by friends, he constructed each chair in a day. Moving well beyond the lazy cliché of noticing beauty in the abject and everyday, Gamper took things that were ordinary or sad and actively reworked them into a set of engaging objects. It would be a mistake to ally his commitment to speed and gestural slapdash with carelessness. Although made quickly, the chairs demonstrate an extreme formal virtuosity.

Before turning to design, Gamper studied sculpture at the Academy of Fine Arts Vienna under Michelangelo Pistoletto; Arte Povera is an obvious reference point for his work. While acknowledging the link, he stresses the importance of context: challenging the hierarchy of materials in Italy in the late 1960s was a pointed political gesture, but in early twenty-first-century London it is necessarily a more diffuse, ad hoc affair. Looking back on *100 Chairs*, Gamper claims that the project was driven largely by pragmatism; his desire to design objects coinciding with his limited access to funds. It was a state of affairs that the project itself served to change: the reception to the chairs was ecstatic.

Since *100 Chairs*, Gamper has reprised the process a few times, although the value of the raw material increases with each iteration. Staged as a live event at the 2007 Basel design fair, *If Gio Only Knew*, involved the reconstruction of a collection of furniture designed by Gio Ponti for the Hotel Parco dei Principi in Sorrento. Although the pieces were damaged and not particularly good examples of Ponti's work, the project ruffled feathers. For some exhibitors, the objects that Gamper was breaking down and remaking were too close for comfort to those being offered for hefty prices on nearby stands. As with *100 Chairs*, *If Gio Only Knew* has a distinctive, quirky beauty; the objects are as recognizable as Gamper's work as they were Ponti's, yet the affront was palpable. Unlike with Arte Povera, it's quite dif-

come appartenenti a Gamper quanto a Ponti, ma l'affronto era palpabile. A differenza di quanto accadeva con l'Arte Povera, oggi è piuttosto difficile offendere qualcuno per generiche ragioni di gusto, ma si può senza dubbio dare scandalo mettendo in discussione sistemi di valori più specifici.

Nel 2008, il designer ha rimodellato alcune sedie di Carlo Mollino dalla Sala da Ballo Lutrario di Torino, che erano state espropriate dagli eredi di Mollino dopo anni di restauri non autorizzati – cosa che Gamper ha scelto di tenere nascosta. Più in generale, l'idea di performance nel design – un luogo comune in fiere e gallerie dal lancio di Design Miami/Basel nel 2005 – sembra aver fatto il suo corso. L'aspetto più significativo è che la performance legata al design non è una performance nel senso in genere associato all'arte: più che essere un'opera a sé stante, tende a essere una rappresentazione del procedimento. Di rado questi "spettacoli dal vivo", taglienti come l'intervento di Gamper su Ponti, hanno permesso ai designer di appropriarsi dello spazio della galleria e aggiungere credibilità al loro ruolo, ma sono soggetti alla legge dei rendimenti decrescenti. Proprio per ovviare alla minaccia della noia da performance (tanto la propria quanto quella del pubblico), per il suo contributo di qualche mese fa alla mostra *Design by Performance* della galleria belga Z33, Gamper ha colto l'occasione per imparare la tornitura del legno da un esperto artigiano. Era un'inversione della norma: invece di esibire un talento, ne ha messo in scena la mancanza.

Se forse il bisogno di esibirsi di Gamper è diminuito, il suo appetito per una forma più quotidiana di design estemporaneo – la cucina – è forte come non mai. Dal 2003 prepara cene per una rete di amici in una varietà di ambienti allestiti su misura sotto il titolo generico di *Trattoria al Cappello*. Più che eventi generatori di oggetti, questi pasti sono incentivi a disegnarne di nuovi. Comprendono lavandini e piani da lavoro di fortuna, insieme a oggetti più indipendenti dal contesto come il sottobicchiere *In Vino Veritas*, un pezzo a tre cerchi in cuoio fustellato che protegge il tavolo da tre bicchieri alla volta; una brocca di vetro soffiato a mano a forma di bottiglietta d'acqua di plastica; e una serie di larghi anelli metallici che reggono gruppi di posate forate per una comoda distribuzione lungo un tavolo comunitario (i coltelli, forchette e cucchiai sono stati comprati in stock da una com-

ficult now to offend anyone on general grounds of taste, but you can certainly cause a ruckus by questioning more specific value systems.

In 2008 the designer re-modelled some Carlo Mollino chairs from the Lutrario Ballroom in Turin that had been dispossessed by Mollino's estate after years of unsanctioned repair – which Gamper chose to keep hidden. More broadly, the idea of performance in design – a commonplace in fairs and galleries since the launch of Design Miami/Basel in 2005 – seems to have run its course. Significantly, design performance is not performance in the sense associated with art: rather than a piece in itself, it tends to be a representation of process. Rarely as keen-edged as Gamper's Ponti routine, these "live design shows" have allowed designers to claim gallery space and render their worth believable, but are prone to diminishing returns. Responding to the threat of performance ennui (both his own and that of his audience), for his contribution to the Belgian gallery Z33's show *Design by Performance* earlier this year, Gamper took the opportunity to learn woodturning from a master craftsman. It was an inversion of the norm: rather than exposing a skill, he demonstrated his lack of one.

While Gamper's urge to perform may have weakened, his appetite for a more everyday form of on-the-spot design – cooking – remains as strong as ever. Since 2003 he has been making dinners for a network of friends in a variety of custom-built settings under the loose title *Trattoria al Cappello*. Rather than events that generate objects, these meals are motives for designing new things. Encompassing makeshift sinks and work surfaces, among the more context-independent objects are the *In Vino Veritas* coaster, a tri-circular piece of die-cut leather that buffers the table from three glasses in one; a hand-blown glass jug in the shape of a plastic water bottle; and a series of large metal ring holding sets of pierced cutlery for easy distribution along a communal table (the knives, forks and spoons were bought in bulk from an airline that, post-9/11, was required to use plastic).
The *Trattoria* started in the Hat On Wall Bar in London's Clerkenwell, where the lack of cooking facilities made the bare-bones design approach a necessity, but over the years the unbroken

pagnia aerea che, dopo l'11 settembre, ha avuto la direttiva di usare solo plastica).

La *Trattoria* ha esordito all'Hat On Wall Bar di Clerkenwell, a Londra, dove la mancanza di attrezzature per la cucina ha reso necessario l'approccio progettuale spartano, ma negli anni l'ininterrotta catena produttiva – dall'attrezzatura di base al cibo nel piatto – è diventata più elaborata. Creando tavoli a partire da pannelli irregolari di legno di teak, quercia e pioppo riciclati, e zuppe a partire da anguria, olio, limone, aceto e zenzero (la sua persistente ossessione culinaria), Gamper manipola i suoi materiali e dirige con precisione i suoi compagni di lavoro. L'atmosfera spontanea e rilassata degli eventi (il nome "al Cappello" è nato dal bar di Clerkenwell, ma adesso il ristorante di Gamper è ovunque lui posi il cappello) smentisce l'accuratezza della pianificazione e dell'esecuzione che ci stanno dietro. Il suo cibo migliora di volta in volta, il che dimostra che la pratica artigiana di perfezionarsi attraverso la ripetizione comporta ancora dei vantaggi – soprattutto quando si tratta dei nostri stomaci. Le sue paste fatte a mano, che siano spaghetti di soba o tortellini, stanno raggiungendo una consistenza perfetta che si scioglie in bocca, e il suo celebre dessert – il tiramisù al tè verde – è un trionfo di amarognola dolcezza.

Gamper ama disegnare per situazioni e ambientazioni che gli sono familiari. Oltre a cucinare per gli amici, produce arredi per le loro mostre, eventi e case. (Confessione: sono stata più di una volta il destinatario della sua generosità creativa). Il primo oggetto prodotto in serie da Gamper, uno sgabello impilabile di plastica rotostampata, è nato quasi per caso. Creato per essere usato agli eventi comunitari di un parchetto con gazebo al centro di Arnold Circus, un quartiere residenziale di inizio Novecento dalle parti di Shoreditch High Street nella zona est di Londra, non era pensato per superare quella minuscola orbita, eppure da allora ha trovato posto in una serie di altri contesti. I primi sgabelli erano prodotti in sfumature di verde, ma le edizioni più recenti sono disponibili in tutti i colori dello spettro. Ci sono buone possibilità che una manciata di essi compaia in qualche galleria dalle vostre parti.

Gamper ha anche partecipato alla fabbricazione di oggetti prodotti in serie di concezione più convenzionale per l'azienda italiana Magis; in questo caso, ha dovuto invertire il suo processo

line of production – from basic equipment to food on the plate – has become more pronounced. Assembling tables from irregular panels of reclaimed teak, oak and poplar, and soup from watermelon, oil, lemon, vinegar and ginger (his abiding culinary obsession), Gamper handles his materials and directs his workmates with precision. That the events feel spontaneous and relaxed (the name "al Cappello" was originally derived from the bar, but now wherever Gamper lays his hat is his restaurant) belies the detail of planning and execution behind each one. His food is getting better and better, which goes to show that the craftsman's practice of perfecting through repeating still has benefits – particularly when it comes to our stomachs. His handmade pastas, both soba noodles and tortellini, are reaching new heights of melt-in-the-mouthness and his signature pudding – green tea-sprinkled tiramisù – is a triumph of bitter-edged sweetness.

Gamper likes to design for situations and locations that he is familiar with. As well as cooking for his friends, he makes furniture for their exhibitions, events and homes. (Full disclosure: I have been the beneficiary of his creative generosity more than once.) Gamper's first mass-produced product, a rotation-moulded, plastic stacking stool, came about almost by accident. Originally created for use at community events in the small park and bandstand at the centre of Arnold Circus, a turn-of-the-century housing estate off Shoreditch High Street in east London, it was not designed to move beyond that mini-orbit, yet it has since found a place in a number of other settings. Early stools came in shades of green, but later editions are available in colours across the spectrum. Chances are a crop of them has popped up in an arts space near you.

Gamper has also been involved in making more conventionally conceived mass produced objects for the Italian company Magis; as a result, he's had to turn his usual process around. Instead of responding to an immediate furniture need, he is working with the company founder, Eugenio Perazza, to foresee or even create a position in the long-term furniture market. (Magis is the company behind Jasper Morrison's now ubiquitous *Air-Chair* from 2003.) Perazza is one of an increasingly

consueto. Invece di rispondere a un bisogno immediato di mobili, sta lavorando con il fondatore dell'azienda, Eugenio Perazza, per anticipare o addirittura creare un posizionamento a lungo termine nel mercato dell'arredamento. (Magis è l'azienda che sta dietro alla ormai onnipresente *Air-Chair* di Jasper Morrison del 2003). Perazza è membro di una sempre più rara stirpe di imprenditori dell'arredamento socialmente impegnati e ha commissionato a Gamper la progettazione di una sedia in tondino d'acciaio con l'obiettivo parziale di mantenere in attività una particolare fabbrica metallurgica del Nord Italia. Il designer ha ideato la delicata, organica *Vigna* (2010) – una soluzione affascinante, se non altro perché rispetta l'equilibrio stravagante e il sorprendente miscuglio di solidità e leggerezza che sono associati al lavoro di Gamper.

Da allora, *Vigna* è il soggetto di un intenso scambio di schizzi, specifiche e prototipi. L'obiettivo è realizzare il prodotto perfetto al prezzo giusto, che, nella visione di Magis, si colloca sotto i 100 euro. Per Gamper rappresenta in un certo senso un ritorno alle origini della sua carriera nel design a metà degli anni Novanta, quando ha passato un periodo nell'ufficio milanese del suo ex professore di design, Matteo Thun. Per un paio d'anni, prima di andare a specializzarsi al Royal College of Art di Londra, ha trascorso le giornate in un grande studio a lavorare su prodotti, mobili e interni.

Se si prendono in considerazione qualità più mercuriali del design, diversi pezzi dell'arredamento riciclato di Gamper mostrano una vaga somiglianza con il lavoro di celebrati designer d'avanguardia italiani come Ettore Sottsass o Andrea Branzi, non solo in termini di superficie o texture, ma di proporzione e tipologia. Qualche anno fa, Morrison e Naoto Fukasawa hanno coniato il termine "supernormale" per descrivere una gamma di forme di design internalizzate – una serie di forme che accettiamo senza discutere. Forse il riferimento spontaneo di Gamper alle forme di design dalla fine degli anni Sessanta in poi implica che lui (e, in certa misura, anche noi) ha anche assorbito una serie di modelli a prima vista più conflittuali. Sarebbe forse un'esagerazione dire che il lavoro di Gamper sta diventando il nuovo normale – ma è possibile che apra la strada al super-radicale.

rare breed of socially-engaged furniture entrepreneurs and he commissioned Gamper to design a chair in metal wire with the partial aim of keeping a particular northern Italian wire factory in operation. The designer came back with the delicately organic *Vigna* (2010) – a pretty solution, if not in keeping with the oddity of balance and surprising mix of solidity and lightness that are associated with Gamper's work.

Vigna has since been the subject of an intense exchange of sketches, specifications and samples. The goal is to manufacture the perfect product at the right price, which, in the world of Magis, is under 100 euros. For Gamper, it is something of a return to the beginning of his design career in the mid-1990s, when he spent a period at the Milan office of his former design professor, Matteo Thun. For a couple of years, before going on to study for an MA at the Royal College of Art in London, he spent his days in a large studio working on products, furniture and interiors.

Thinking of design's more mercurial characters, several pieces of Gamper's reclaimed furniture bear a shadowy likeness to the work of established Italian radicals such as Ettore Sottsass or Andrea Branzi, not simply in terms of surface or texture, but in proportion and manner. A few years back, Morrison and Naoto Fukasawa coined the term "Supernormal" to describe a range of internalized design forms – a set of shapes that we accept without question. Perhaps Gamper's instinctive reference to the design forms since the late 1960s implies that he – and, on some level, we too – have also absorbed a range of apparently more confrontational shapes. It is perhaps an overstatement to say that Gamper's work will become the new normal – but it possibly opens the way up for the Superradical.

Martino Gamper, *Post Forma*, 2015, immagini d'archivio

Martino Gamper, *Post Forma*, 2015, archive images

Martino Gamper, *Post Forma*, 2015, immagini d'archivio

Martino Gamper, *Post Forma*, 2015, archive images

Pedro Reyes

Pedro Reyes, *Capulas*, 2002 - oggi, installazione di *Capula 18*, Dodecahedron, courtesy Ballroom Marfa, photo Fredrik Nilsen

Pedro Reyes, *Capulas*, 2002 - present, installation view of *Capula 18*, Dodecahedron, courtesy Ballroom Marfa, photo Fredrik Nilsen

Pedro Reyes ha studiato architettura ma si considera uno sculto-re. Integrando, nella sua pratica artistica elementi di teatro, psi-cologia e attivismo, il suo lavoro si sviluppa attraverso i più diversi medium: scultura, architettura, video, performance. La maggior parte delle opere di Reyes hanno una forte componente di parte-cipazione: l'artista lavora sull'interazione tra lo spazio fisico e lo spazio sociale, proprio grazie ad una concezione dell'arte come uno strumento che, in un'epoca di crisi politica, economica e so-ciale, riesce a promuovere forti azioni individuali e collettive.

Già all'inizio del suo percorso, durante gli studi universitari, con l'occupazione di *La Torre de los Vientos* (1996-2002), un edificio scultoreo di Gonzalo Fonseca, Reyes ha creato uno spazio di in-contro e scambio sociale. Di lì si è sempre rivelata importante nelle sue opere, la forza e l'impatto che queste riescono ad ave-re in direzione di una precisa trasformazione sociale. In questo senso, il contesto politico del suo paese, il Messico, è sempre stato un punto di partenza imprescindibile e soprattutto l'ana-lisi dei meccanismi che caratterizzano l'universo urbano e il suo funzionamento.

Nella stessa misura, proprio a dimostrare una precisa linea di evoluzione storica o politica, Reyes spesso sviluppa un progetto in momenti diversi, dando al suo lavoro l'aspetto di un albero genealogico: *Disarm Mechanized* (2013) è la terza fase di un pro-getto, *Palas por pistolas*, nato a Culiacán nel 2008 e *La Revo-lución Permanente* (2014), pièce teatrale, è lo sviluppo di *Baby Marx* (2008).

Ma l'interesse di Reyes per la funzione dell'arte in ambito sociale spinge l'artista ad interrogarsi sul suo ruolo e sulla sua utilità. Di qui l'idea di un'arte che si possa utilizzare, anche se la nozione di "arte ad usum" sembra l'applicazione della premessa moderni-sta "la forma segue la funzione". Da questo punto di vista Reyes inverte le regole e integrare chi guarda nelle opere è un modo per rispondere a tale esigenza. Normalmente le persone fruiscono le mostre per imparare qualcosa sull'artista o dalle sue opere, in questo caso l'artista cerca di creare una piattaforma dove gli

Anne Palopoli

Though Pedro Reyes studied architecture, he considers himself to be a sculptor. By integrating elements of theater, psychology, and activism in his artistic practice, his work develops through a va-riety of media: sculpture, architecture, video, performance. Most of Reyes' works strongly invite participation: the artist focuses on the interaction between physical space and social space, thanks to a conception of art as an instrument that, in times of political, economic and social crisis, succeeds in promoting strong indi-vidual and group actions.

Already at the start of his career, while he was still a college student, Reyes secretly occupied *La Torre de los Vientos* (1996 - 2002), a sculptural building designed by Gonzalo Fonseca, and by doing so he created a space for social encounter and exchange. From that moment on, his works have closely focused on the force and impact they have managed to have on social change. In this sense, the political context of his country, Mexico, has always been an inexorable point of departure, above all resulting in an analysis of the mechanisms that characterize the urban universe and the way it functions.

To the same degree, proof of a specific line addressed to his-torical and political evolution, Reyes often develops the same project in different stages, so that his work much resembles a genealogical tree: *Disarm Mechanized* (2013) is the third part of the project *Palas por Pistolas*, organized in Culiacán in 2008, and *La Revolución Permanente* (2014), a pièce for the theater, is the development of *Baby Marx* (2008).

However, Reyes' interest in how art functions within a social en-vironment encourages the artist to pose questions about its role and utility. On this is based the idea of art that can be used, al-though the notion of "arte ad usum" seems to be the practical application of the modernist "form follows function" principle. From this point of view, Reyes inverts the rules, and integrating the viewer in his works is a way of responding to this need. While people generally go to exhibitions to learn something about the artist and his works, this artist seeks to create a platform where

Pedro Reyes, *Colloquium*, 2013, installazione presso Luisa Strina Gallery, photo Edouard Fraipont

Pedro Reyes, *Colloquium*, 2013, installation view at Luisa Strina Gallery, photo Edouard Fraipont

utenti possano raccontare la propria storia. È il caso di *Sanatorium* (2011), una clinica dove le persone possono fare dei trattamenti che le aiutino nella loro vita quotidiana, così il contenuto dell'opera viene creato dai visitatori stessi che attraverso una sorta di gioco finiscono per offrire delle risposte ai dilemmi che li attanagliano. L'idea di realizzare un'opera che possa costruire un'esperienza esplicita per i visitatori, non nasce tanto dalla necessità di creare un'arte "utile", quanto un'opera che produca degli strumenti per le persone.

Nello stesso tempo Reyes cerca sempre di sviluppare idee e progetti che vivano in un preciso momento, che siano storicamente collocabili: grazie all'utilizzo di mezzi semplici e scenari occasionali, l'artista unisce utopia e funzione, fantasia, aspirazioni collettive e prospettive politiche. Il suo lavoro opera creando una connessione tra il mondo delle idee, le persone e la collettività.

Così la città contemporanea si configura come un paesaggio dove trovare degli strumenti con i quali lavorare, nello stesso modo in cui la crisi può offrire un'opportunità per associazioni, idee e percezioni che suggeriscano nuove strategie e soluzioni. La pratica di Reyes intende creare nuovi approcci e modalità di soluzioni nell'idea che i progetti artistici possano suggerire risposte diverse ai problemi sociali. Come dice Reyes stesso, il maggiore potenziale dell'arte è nel creare parole, non è molto per cambiare il mondo, ma abbastanza per crearne uno nuovo.

users can tell their own stories. One such example is *Sanatorium* (2011,) a clinic where people can undergo treatment that will help them in their everyday lives; here, the contents of the artwork is created by the visitors themselves who, by playing a sort of game, end up offering answers to the dilemmas they are tormented by. The idea of producing a work that can create an explicit experience for visitors is not so much born from the need to create "useful" art; rather, it is a work that produces instruments for people.

Reyes always tries to develop ideas and projects that thrive at a specific moment in time, and that can be located historically: thanks to the use of simple means and occasional scenarios, the artist merges utopia and function, imagination, group aspirations, and political perspectives. His work functions by creating a connection between the world of ideas, people, and the community.

Hence, the contemporary city is a landscape on which to find the instruments with which to work, in the same way that the "economic crisis" can offer opportunities for associations, ideas, and perceptions, which then suggest new strategies and solutions. In his practice, Reyes aims to create new approaches and solutions based on the idea that artistic projects can suggest various answers to social problems. As Reyes himself says, the greatest potential of art is that of creating worlds, and although this is not enough to change the world, it is enough to be able to create something new.

Pedro Reyes, *Ear*, 2012, US State Department / Art in Embassies Program, Tijuana, Messico, installazione, photo Michael J. N. Bowles

Pedro Reyes, *Ear*, 2012, US State Department / Art in Embassies Program, Tijuana, Mexico, installation view, photo Michael J.N. Bowles

Pedro Reyes, *Pirámide Flotante*, 2004

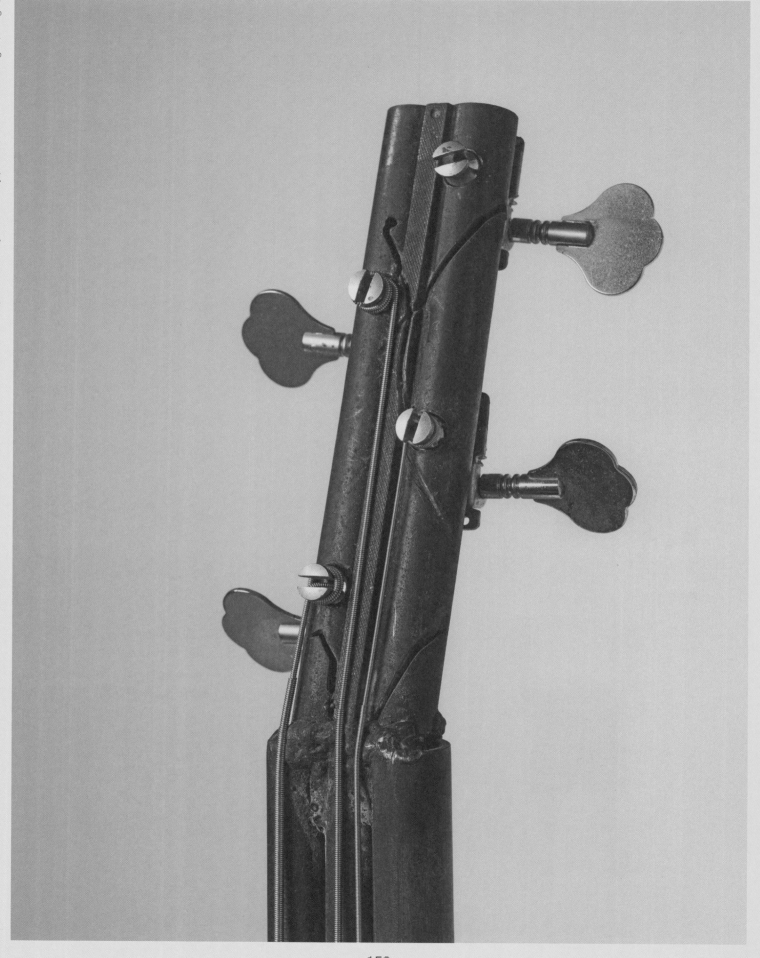

Pedro Reyes, *Disarm*, 2012, armi distrutte convertite in strumenti musicali, installazione di *Disarm* alla Lisson Gallery, 2013, courtesy Lisson Gallery, photo Ken Adlard e Dave Morgan (dettaglio)

Pedro Reyes, *Disarm*, 2012, destroyed weapons turn into musical instruments, installation view of *Disarm* at Lisson Gallery, 2013, courtesy of Lisson Gallery, photo Ken Adlard and Dave Morgan (detail)

Pedro Reyes

Disarm   **Disarm**

Disarm è una seconda generazione di strumenti costruiti sul modello di *Imagine* (2012), che usava in modo simile resti di armi raccolte e distrutte dall'esercito messicano. La seconda serie è composta da otto strumenti creati in collaborazione con un gruppo di musicisti e Cocolab, uno studio multimediale di Città del Messico. Queste macchine sono strumenti musicali meccanici; possono essere programmate e controllate via computer, il che le rende capaci di eseguire concerti con composizioni preparate in anticipo.

Le componenti di questi automi sono riconoscibili come fucili, pistole e carabine; anche se non pongono più una minaccia di lesione fisica, conservano la forza bruta della loro funzione precedente. Ora queste ex-armi strimpellano, squillano, sbatacchiano, ronzano, vibrano a diversi volumi e intensità per eseguire brani elaborati con una vasta gamma di sfumature sonore.

Quando crei arte con le pistole, è facile farsi sedurre dall'oggetto stesso, per cui il risultato può finire per esaltare o glorificare l'arma invece di criticarla. Dato lo scopo pacifico di questo progetto, il messaggio deve essere ben chiaro in modo che l'idea possa essere trasmessa a un pubblico generico.

Disarm is a second generation of instruments built after *Imagine* (2012), also using the remnants of weapons that the Mexican army had collected and destroyed. The second series is made up of eight instruments that were created in collaboration with a team of musicians and Cocolab, a media studio in Mexico City. These machines are mechanical musical instruments; they can be programmed and operated via computers, making them capable of performing music concerts with compositions prepared beforehand.

The various parts of these automatons are recognizable as shotguns, pistols and rifles; while they no longer pose the threat of physical harm, they keep the sheer might of their most recent purpose. Now, these former arms strum, ring, crash, hum, and vibrate at different volumes and intensities to express elaborate compositions with a wide range of sonic nuances.

Making art about guns, you can easily be seduced by the object itself, so the result may wind up praising or glorifying the object rather than critiquing it. Because of the pacifist purpose of this project, the message has to be clear so that the idea has currency for a general audience.

Un ottimo esempio è quello di Matsuo Bashō, il poeta giapponese dell'epoca Edo. Un giorno, mentre attraversava un campo di libellule, uno dei suoi studenti compose un haiku:

Libellule rosse
Senza le ali
Diventano peperoncini

Bashō disse allo studente che quello non era un vero haiku, e lo corresse così:

Peperoncini rossi
Con le ali
Diventano libellule

Per Bashō, la caratteristica di un haiku non è solo la tecnica della sua costruzione, ma anche un istante di illuminazione; quando un oggetto o un'immagine viene visto in una nuova luce, o quando qualcosa è aggiunto o rivelato in modo significativo.

A good example to mention here is that of Matsuo Bashō, the Edo period Japanese poet. One day, while walking through a field of dragonflies one of Bashō's students composed a haiku:

Red dragonflies
Remove their wings
And they are pepper pods

Bashō told his student that this was not a true haiku, correcting the poem thus:

Red pepper pods
Add wings
And they are dragonflies

For Bashō, what constitutes a haiku is not only its technical construction, but also a moment of insight; when an object or image is seen in a new light or when something is added or revealed in a meaningful way.

Pedro Reyes, *Disarm (Mechanized)*, 2013, armi distrutte convertite in strumenti musicali, installazione di *Disarm* alla Lisson Gallery, 2013, courtesy Lisson Gallery, photo Ken Adlard e Dave Morgan

Pedro Reyes, *Disarm (Mechanized)*, 2013, destroyed weapons turn into musical instruments, installation view of *Disarm* at Lisson Gallery, 2013, courtesy of Lisson Gallery, photo Ken Adlard and Dave Morgan

Pedro Reyes, *Disarm*, 2012, armi distrutte convertite in strumenti musicali, installazione di *Disarm* alla Lisson Gallery, 2013, courtesy Lisson Gallery, photo Ken Adlard e Dave Morgan

Pedro Reyes, *Disarm*, 2012, destroyed weapons turn into musical instruments, installation view of *Disarm* at Lisson Gallery, 2013, courtesy of Lisson Gallery, photo Ken Adlard and Dave Morgan

Pedro Reyes, *Disarm (Mechanized)*, 2013, armi distrutte convertite in strumenti musicali, installazione di *Disarm* alla Lisson Gallery, 2013, courtesy Lisson Gallery, photo Ken Adlard e Dave Morgan

Pedro Reyes, *Disarm (Mechanized)*, 2013, destroyed weapons turn into musical instruments, installation view of *Disarm* at Lisson Gallery, 2013, courtesy of Lisson Gallery, photo Ken Adlard and Dave Morgan

Pedro Reyes, *Disarm (Mechanized)*, 2013, armi distrutte convertite in strumenti musicali, installazione di *Disarm* alla Lisson Gallery, 2013, courtesy Lisson Gallery, photo Ken Adlard e Dave Morgan

Pedro Reyes, *Disarm (Mechanized)*, 2013, destroyed weapons turn into musical instruments, installation view of *Disarm* at Lisson Gallery, 2013, courtesy of Lisson Gallery, photo Ken Adlard and Dave Morgan

Pedro Reyes, Distruzione delle armi per l'opera *Disarm*, still da video, courtesy l'artista e Fundación Alumnos 47

Pedro Reyes, Destructions of the weapons for the work *Disarm*, video still, courtesy the artist and the Fundación Alumnos 47

Pedro Reyes, realizzazione di *Disarm*, courtesy l'artista e Alumnos 47

Pedro Reyes, realization of *Disarm*, courtesy the artist and Alumnos 47

Biografie e bibliografie degli artisti

Biographies and Bibliographies of the artists

Choi Jeong Hwa

Mostre personali selezionate   Selected Solo Exhibitions

Choi Jeong Hwa Solo Exhibition- ON, Parkview green,
Beijing 2015
Natural color, multiple flower show, Culture Station Seoul 284,
Seoul 2014
Life, life, Leeahn Gallery, Daegu 2013
KABBALA, Daegu Art Museum, Daegu 2013
Peace of everyone, *Mother of Design*, Marunouchi House,
Tokyo 2012
Redcat Gala show, Redcat Gallery, Los Angeles 2011
In the mood for love, Aando Fine Art, Berlin 2010
Shine a light, Korea Culture Center, London 2009
O.K!, Towada Art Center, Towada 2009
Plactic paradise, Point Ephemere, Paris 2008
Welcome, Wolverhampton 2007
Truth, Disney Hall, Red Cat Gallery, Los Angeles 2007
Believe it or not, Ilmin Museum, Seoul 2006

Mostre collettive selezionate   Selected Group Exhibitions

Tainan Swan Lake Art Installation Project, Tainan 2015
Fukuoka Triennale, Fukuoka 2014
Playground 2013, Kota Kinabalu 2013
321 Art Community Project, Tainan 2013
Thank you!, Taoyuan Landscape Art Festival, Taoyuan 2013
Breathing Flower, Very Fun Park 2013, Taipei 2013
Kiev Biennale, Kiev 2012
Gwangju Biennale, Gwangju 2012
Phantoms of Asia, Civic Center Plaza, San Francisco 2012
Lingua Franca, St. Moritz 2011
Cosmos, Oulim Art Center, Goyang 2011
Happy together, Pohang Museum, Pohang 2011
Plastic Garden, Minsheng Art Museum, Shanghai 2010·
Sydney Biennale, Sydney 2010
Your bright future, The Museum of Fine Art, Houston 2009
Your bright future, LACMA, Los Angeles 2009
Opening Exhibition, Bangkok Art and Culture Center,
Bangkok 2008
D'art Contemporain au Château d'Oiron, Oiron 2008
New project, Pekin Fine Art, Beijing 2008
Peppermint Candy, Santiago 2007
Trace root, Arco, Madrid 2007
Elastic Taboo, Wien 2007
Open-Air Exhibition, Middelheimmuseum, Antwerpen 2006
Through the Looking Glass, Asian House, London 2006
SCAPE Biennial, Christ Church 2006
Gwangju Biennale (The first chapter-Trace Root), Gwangju 2006
Venice Biennale, Venezia 2005
Lyon Biennale, Lyon 2003
Yokohama Biennale, Yokohama 2000
São Paulo Biennale, São Paulo 1998
Taipei Biennale, Taipei 1998

Monografie / Cataloghi di mostre
Monographs / Exhibition Catalogues

On, Parkview Green, Beijing 2015

With, Onyang Folk Museum, Asan-si 2015

The Choi Jeong Hwa, Natural Color, Multiple Flower Show,
Culture Station Seoul 284, Seoul 2014

Choi Jeong Hwa, Alchemy, Daegu Art Museum, Daegu 2013

D. Eliot (a cura di), *Gangnam Style*, Daegu Art Museum,
Daegu 2012

Choi Jeong Hwa, O.K!, Towada Art Centre, Towada 2009

J. Lee, *Shine a Light*, Korean Cultural Centre UK, London 2009

Believe It or Not, Ilmin Museum of Art, Seoul 2006

*The 4th Gwangju Biennale Invited Groups' International Workshop:
Community and Art*, The Gwangju Biennale Foundation,
Gwangju 2002

The Works of Choi Jeong Hwa, Ga-in Design Group, 1995

Interviste   Interviews

E. J. Ha, *A Designer from a Star or Installation Artist Choi Jeong
Hwa*, "Woman Sense", maggio 2015

S. Kim, Lee E., J. Y., C. Stephana, *Conversation*, Korean Cultural
Centre, London 2009

G. Lim, *From Now On, My Motto Is Practice and Love!*,
"Art in Culture", settembre 2006

P. Inhak, *An Interview That Will Never End: Park Inhak's Questions
and Choi Jeong Hwa's Answers*, "The Works of Choi Jeong Hwa",
Ga-in Design Group, 1995

Articoli su Choi Jeong Hwa   Articles on Choi Jeong Hwa

s.a., *Asiana Culture, Style,* "View" (monthly in-flight magazine),
"W Korea", giugno 2015

Y. G. Choi, "W Korea", marzo 2014

S. Kim, *Choi Jeong Hwa Was Not There*, "Noblesse", ottobre 2006

M. Kim, *Choi Jeong Hwa's Omnivorous Privatization*, "Interior",
aprile 1998

C. Park, About the Artist: Choi Jeong Hwa, "Mom", novembre 1997

G. Matsumoto, *Choi Jeong Hwa as an Artist Designer*, "Interior",
maggio 1995

Bibliografia generale   General Bibliography

M. Mulder, *Trash Talk: Moving toward a Zero - Waste World*, Orca Footprints, 2015

T. Manco, *Big Art / Small Art*, Thames & Hudson, London 2014

s.a., *OVERS!ZE: The Mega Art & Installations*, Victionary, Hong Kong 2013

H. Hau, *By day By night, or Some Special Things a Museum Can Do*, Rockbund Art Museum, Shanghai 2010

B. Min, *An Expectation for Those Peculiar Tricks That Are So Palpable But Succeed in Deceiving Us Once Again*, "Nextart", 2007

O. Sand, *Elastic Taboos: Within the Korean World of Contemporary Art*, "Asian Art Newspaper", vol. 10, maggio 2007

Hong S., *Yes, Right, We are Troublemakers!*, "Wolgan Misul", febbraio 2005

Lee Y., *Image Criticism: From Satellite Photographs to the Seasame Shaped Bangstyle*, NOONBIT Publishing, Seoul 2004 (Lee Youngjun, "Multiple Choi Jeong Hwa")

B. Min, *The Cultural Design by Kim Minsu*, Daewoo, Seoul 2002

B. Min, *Between Brazen-facedness and Decency*, Jungdeung Urigyoyuk (Our Secondary Education), maggio 2001

B. Jisook, *A Merry Conspiracy between Popularity and Paganism*, "Wolgan Misul", gennaio 1999

H. No, *New Challenges and Tasks*, "Wolgan Misul", settembre 1998

s.a., *Get up, the Voyage of Black Hours!*, "Architect", n. 167, giugno 1996

s.a., *Fabrication+Jerry=Completion: Yes, All Are Practice Exercises*, "Interior", febbraio 1996

s.a., *A Shantytown Has Become a Picture Postcard*, "House Full of Happiness", aprile 1994

s.a., *Fashion Shop Botticelli: Main Branch*, "Plus", aprile 1993

s.a., *Hidden Picture Puzzle: the Rose of Sharon Has it Bloomed*, "Munhak Jeongsin", marzo 1993

J. Lee, *The New Generation Art Movement in the Transition Period*, "Misul Segye", marzo 1992

s.a., *Conversation: On the Artists' Group Movement in the 1980s*, "Gyegan Misul", estate 1988

Didier Fiuza Faustino

Mostre personali selezionate Selected Solo Exhibitions

Des Corps & Des Astres, Le Magasin, Grenoble 2015
Décors & Désastres, Villa André Bloc, Meudon 2014
Memories of tomorrow, Transpalette, Bourges 2013
Dead Zone, HEAD, Geneva 2012
We can't go home again, Galerie Michel Rein, Paris 2013
Habeas Corpus, Galeria Filomena Soares, Lisboa 2012
Le meilleur des mondes, Cité de l'architecture et du patrimoine,
Paris 2011
Don't Trust Architects, CAM - Fundação Calouste Gulbenkian,
Lisboa 2011
Balance of Emptiness, CCA, Kitakyūshū 2010
(G)host in the (S)hell 2, Laxart Gallery, Los Angeles 2009
(G)host in the (S)hell, Storefront, New York 2008
Salaryman's Dream, CCA, Kitakyūshū 2006
1/1, 1/10, 1/100, FRAC Centre, Orléans 2004
Didier Fiuza Faustino, MACS, Museu de Arte Contemporânea
de *Serralves*, Porto 2003
Project Room, Artists Space, New York 2002

Mostre collettive selezionate Selected Group Exhibitions

12th Havana Biennial, Havana 2015
*Conceptions of Space: Recent Acquisitions in Contemporary
Architecture*, MoMA, New York 2014
Buildering: Misbehaving the City, Contemporary Arts Center,
Cincinnati 2013
Salon der Angst, Kunsthalle Wien, Wien 2013
Politique Fiction, Cité du design, Saint-Etienne 2012
Frozen Moments. Architecture Speaks Back, Research
& Leisure, Laura Palmer Foundation & The Other Space
Foundation, Tbilisi 2011
Performa 09, New York 2009
11th Architecture Venice Biennial, Venezia 2008
Air de Paris, Musée National d'Art Moderne / Centre Georges
Pompidou (MNAM), Paris 2007
São Paulo Contemporary Art Biennial, São Paulo 2006
Guangzhou Triennial, Guangzhou 2005
Ailleurs, ici, Couvent des Cordeliers, Musée d'Art Moderne
de la Ville de Paris, Paris 2004
Venice Biennial of Contemporary Art, Venezia 2003
Venice Biennial of Architecture, French Pavillion, Venezia 2002
Traversées, Musée d'Art Moderne de la Ville de Paris, Paris 2001
7th Venice Biennial of Architecture: Less Aesthetics, More Ethics,
Venezia 2000

Monografie / Cataloghi di mostre
Monographs / Exhibition Catalogues

Mésarchitecture, AA Publications, London 2015

Flesh / Bones. Didier Faustino, CCA Kitakyūshū,
Kitakyūshū 2011

Don't Trust Architects, Fundação Calouste Gulbenkian,
Lisboa 2011

Didier Fiuza Faustino. Short cuts, Monografik Editions,
Blou 2008

DD21: Didier Fiuza Faustino / Bureau des Mésarchitectures,
DD Series #21, Damdi Architecture, Seoul 2007

Plans & Directions / Didier F. Faustino, CCA Kitakyūshū,
Kitakyūshū 2006

Anticorps - Didier Fiuza Faustino / Bureau des Mésarchitectures,
FRAC Centre, HYX Editions, Orléans 2004

Stairway to Heaven, One Star Press, Paris 2004

Bureau des Mésarchitectures, Museu Serralves, Porto 2004

Testi di Didier Fiuza Faustino   Texts by Didier Fiuza Faustino

N. Friedman, A. Liu, *Thresholds 56: Scandalous*, Massachussetts
Institute of Technology, Cambridge 2015, pp. 128-135, 268-275

J. Dautrey, E. Quinz (a cura di), *Strange Design: du design des
objets au design des comportements*, It:éditions, 2014,
pp. 249-269

Articoli su Didier Fiuza Faustino
Articles on Didier Fiuza Faustino

A. Martins, *Long Section: Didier Faustino*, "MARK 55",
aprile - maggio 2015, pp. 142-147

P. Coggiola, *Floors and Wall*, "DAM", n. 48, gennaio - febbraio
2015, pp. 1-5

C. Scott, *Anatomy of an architect*, "Frame", n. 78,
gennaio - febbraio 2011, pp. 138-145

Agnosian Fields, "Numéro Tokyo", ottobre 2010, p. 184

M. Calzavara, *Crossover Architects*, Didier Fiuza Faustino,
"Inventario", n. 01, pp. 106-117

L. Albertazzi, *Didier Faustino, shaking things up*, "Intramuros",
n. 145, novembre - dicembre 2009, pp. 86-89

s.a., *Didier Fiuza Faustino*, "Frieze", ottobre 2009, p. 223

M. L. Verroust, *Sculpteur l'espace*, "AD", n. 72, febbraio - marzo
2008, p. 144

A. Midal, *Didier Fiuza Faustino. Existenz Minimissimum*, "Domus",
n. 884, settembre 2005, pp. 40-47

B. Simonot, *Ni Dieu ni maître, c'est la revanche des voyous*,
"Art Press", Hors-Série, maggio 2005, pp. 86-91, 108-109

C. Béret, *Didier Fiuza Faustino, Décosterd & Rahm,
Les demeures d'Hybert à Château Guibert*, "Art Press", n. 298,
febbraio 2004, pp. 48-53

B. A. Boyer, *Didier Faustino: architecte borderline*, "Art Press",
n. 245, aprile 1999, pp. 50-52

Mésarchitectures, "Númeromagazine 2000",
primavera 1998, pp. 8-11

General Bibliography General Bibliography

AC Edition Spéciale France, "ARCHICREATION journal", n. 178, 2014, pp. 282-325

G. Teyssot, *A topology of everyday constellations*, The MIT Press, Cambridge 2013, pp. 234-236

A. Gratza, *Open House*, "Frieze", n. 157, settembre 2013, pp. 143-144

B. Preciado, "Log", *Anyone Corporation*, n. 25, estate 2012, p. 127

M. Schwartzman, *See yourself sensing*, Black Dog Editions, London 2011

E. Aardse, A. Van Baleen (a cura di), *Findings on Elasticity*, Pars Foundation, Lars Muller, 2010, pp. 27-34

M. Buchmeier, H. Slawik, S. Tinney, J. Bergmann (a cura di), *Container Atlas*, Gestalten, Berlin 2010, pp. 76-77

P. Aguirre, C. Beulque, H. Teerlinck (a cura di), *Destroy design*, Frac Nord-Pas de Calais, Dunkerque 2009, pp. 72-182

10X10 / 3, 100 Architects – 10 Critics, Phaidon Press, London 2009, pp. 124-127

Serralves 2009, the collection, Museu Serralves, Porto 2009, p. 169

20/27, "M19", n. 3, Paris 2009, pp. 27-43

R. Klanten, L. Feireiss, *Spacecraft 2*, Gestalten, Berlin 2009, pp. 42, 156, 238

N. Candet, *Collections Particulières*, Flammarion, Paris 2008, pp. 149, 170

L. Gauthier, *French connection*, Blackjack Editions, Montreuil 2008, pp. 288-295

K. Long, *The New Architectural Generation*, L. King Publ., London 2008, pp. 49-51

H. Lorens, *What is Architecture?*, Manggha, Kraköv 2008, pp. 366-379

H. Ulrich Obrist, *Conversations*, Manuella Editions, Paris 2008, pp. 239-249

R. Wilson, *Photographers studio*, "Blue Print", n. 272, novembre 2008, pp. 55-58

7Artistas7Paradigmas, Prémio Tabaqueira, Livraria Civilização Editora, Porto 2007, pp. 48-55, 102-107

H. Hou, *Trans(ient) city*, BOM, Toronto 2007, pp. 36-46

J. de Molder, M. da Costa Cabral, C. van Assche (a cura di), *Ida e volta: Ficção Vs. Realidade*, Fundação Calouste Gulbenkian, Lisboa 2007, pp. 46-51

Bodyscape, Damdi Architecture, Seoul 2007, pp. 118-129, 166-169, 356-357

L. Young Chul, *Anyang Public Art project 2005*, Anyang 2005, pp. 68-73

Architectures Expérimentales 1950-2000, HYX, Orleans 2003, pp. 208-209

R. Rast (a cura di), *Architecture Expo.02*, Éditions Jean-Michel Place, Paris 2003, pp. 438-459

Art-Unlimited, Basel Kunsthalle, Hatje Cantz, Berlin 2001, pp. 70-71

Paysages de la mobilité, AFAA /DAP, Paris 2001, pp. 108-111

Martino Gamper

Mostre personali selezionate   Selected Solo Exhibitions

Tu casa, mi casa, The Modern Institute, Glasgow 2013
Condominium, Galleria Franco Noero, Torino 2011
Stanze e Camere + 100 Chairs in 100 Days, Triennale Design Museum, Milano 2009
Receiving, Wright, Chicago 2008
Total Trattoria, The Aram Gallery, London 2008
100 Chairs in 100 Days, 5 Cromwell Place, London 2007
Confronting the Chair, Design Museum, London 2007
Some Furniture I've Always Wanted to Make, M+R Gallery, London 2004

Mostre collettive selezionate   Selected Group Exhibitions

Design is a state of mind, Museion, Bolzano 2015
Le Regole del Gioco, Studio Museum Achille Castiglioni,
Milano 2015
Milk Revolution, American Academy in Rome, Roma 2015
Design is a state of mind, Pinacoteca Giovanni e Marella Agnelli,
Torino 2014
Platform, Almine Rech Gallery, Bruxelles 2014
Period Room, Palais De Tokyo, Paris 2014
In A State of Repair, Rinascente, in collaborazione con
the Serpentine Gallery, Milano 2014
Design is a state of mind, Serpentine Sackler Gallery,
London 2014
The Future is Handmade, Kalmar Konstmuseum, Kalmar 2014
Arbeitsraum Südtirol, Bayerischer Kunstgewerbe-Verein,
München 2014
*ICA Off-Site: A Journey Through London Subculture: 1980s
to Now*, ICA, The Old Selfridges Hotel, London 2013
Jason Dodge / Martino Gamper, American Academy, Roma 2013
Scott Burton, Fondazione Giuliani, Roma 2012
Glow Rod Tanning with..., Kerstin Brätsch con Martino Gamper,
Gió Marconi, Milano 2012
D'Apres Giorgio, Casa Museo Giorgio de Chirico, Roma 2012
Gesamtkunsthandwerk, in collaborazione con Martino Gamper,
Francis Upritchard, Karl Fritsch, Govett Brewster,
New Plymouth, Karl 2011
New Olds, Design Museum Holen, 2011
TechnoCRAFT, YBCA, San Francisco 2010
Design By Performance, Z33, Hasselt 2010
Keep Your Seat, GAM, Torino 2010
Autoprogettazione Revisited, Architectural Association,
London 2009

Boule to Braid, Lisson Gallery, London 2009
Super Contemporary, Design Museum, London 2009
U.F.O Art & Design, NRW Forum, Düsseldorf 2009
Feierabend, una collaborazione con Martino Gamper, Francis
Upritchard, Karl Fritsch, Kate MacGarry Gallery, London 2009
Undiszipliniert, Kunsthalle Exnergasse, Wien 2008
Manifesta7, Franzensfeste, Fortezza 2008
Designs of the Year, Design Museum, London 2008
Wouldn't It Be Nice, Centre d'Art Contemporain, Genève 2007
Gio Ponti Translated by Martino Gamper, Nilufar Gallery,
Milano 2007
If Gio Only Knew, design performance, Design Miami / Basel,
Basel 2007
No Entry, in collaborazione con Ron Arad, Chain, Chain, Chain
Gallery, London 2006
Tigenes, National Gallery, Oslo 2006
Plans for Other Days, in collaborazione con Janfamily,
Lungomare Gallery, Bolzano 2005
Britain Loves Fashion, esposizione itinerante, British Council,
Chongqing 2005
We Connect, in collaborazione con Åbäke at Studio Camuffo,
Venezia 2004
Walking Carpet, Village Fete, con Eddy Mundy, V&A, London 2003
Waste to Taste, Sotheby's, London 2003
Book Corner, esposizione itinerante, Tallinn Art Hall, Tallinn 2002
Woodlands, installazione, Bloomberg Headquarters,
London 2002
Book Corner, esposizione itinerante, Art & Photograph Gallery,
London 2002
Coming Home, installazione luminosa, Design Museum,
London 2002

Monografie / Cataloghi di mostre
Monographs / Exhibition Catalogues

M. Gamper, *Piccolo Volume II*, Dent-De-Leone, London 2009

D. Charny, Åbäke, A. Rich, *Total Trattoria*, Dent-De-Leone, London 2008

E. King, K. Kilalea, A. Rich, *100 Chairs in 100 Days*, Martino Gamper, Dent-De-Leone, London 2007

Testi di Martino Gamper   Texts by Martino Gamper

M. Gamper, *Tra Il Pensare e Il Fare di Martino Gamper*, "Idee e L", aprile 2013, pp. 91-101

M. Gamper, *In the Studio*, "Dapper Dan", autunno - inverno 2011, pp. 42-47

M. Gamper, *Martino Gamper – 10 Chairs in 100 Days*, "The Atlas", inverno 2007, pp. 44-45

M. Gamper, *Martino Gamper – 100 Chairs in 100 Days*, "Domus", febbraio 2006, p. 61

Articoli su Martino Gamper   Articles on Martino Gamper

J. Agerman Ross, *The Practise of Everyday Life*, "Disegno", primavera - estate 2014, pp. 38-40

L. Houseley, *Arts & Crafts, Conflict and Comfort*, "Modern Design Review", primavera - estate 2014, pp. 32-47

A. Sansom, *Between Two Chairs*, "Damn (Be)", marzo - aprile 2014, pp. 98–102

K. Wright, *Martino Gamper*, "The Independent", Radar, 22 marzo 2014, p. 20

A. Rawsthorn, *Design Through A Punkish Lens*, "The New York Times", 5 marzo 2014

C. Turner, Martino Gamper, *Designer of The Year*, "Icon Magazine", gennaio 2014, pp. 40-44

M. Lowe, *Skill No. 01 – Wood Bending*, "COS", primavera-estate 2013, pp. 26-27

R. Rebernjak, *Lunch with Martino Gamper*, "Alla Carta", primavera - estate 2013, pp. 66-77

I. Margalejo, *Yo Me Lo Creo*, "AD", giugno 2013, pp. 112-123

V. Albus, *Essay by Volker Albus*, "InForm (de)", dicembre 2012, pp. 8-15

M. Cashdan, *Project Space*, "New York Times Style Magazine", estate 2012, pp. 84-89

J. McGuirk, *Martino Gamper*, "AA 390", luglio - agosto 2012, pp. 64-69

C. Trabattoni, *Le Corbusier Reloaded*, "Grazia Casa", 2012, pp. 102-108

M. Ogundehin, *In Conversation with Martino Gamper*, "Elle Decoration", novembre 2011, pp. 86-87

J. van Rossem, *Londons Kreativer Osten*, "A&W", ottobre - novembre 2011, pp. 196-205

s.a., *Die Kreativen Stars*, "A&W Special – Südtirol", luglio 2011, pp. 6-10

M. Gamper, F. Upritchard, *A Conversation Between Martino Gamper & Francis Upritchard*, "Its Nice That", n. 6, pp. 132-139

P. Parrish, *Martino Gamper*, "Bad Day Issue", 2011, n. 11, pp. 92-103

s.a., *Design For the Future*, "Pen", 2011, n. 292, pp. 51-52

E. King, *Come Together*, "Frieze", ottobre 2010, pp. 204-209

C. Roux, *A Polygot Design Whiz*, "Pin-Up", primavera - estate 2010, pp. 97-106

A. Coles, Martino Gamper, *From the Chair Man*, "P. de Pury Italia Auction catalogue", giugno 2010, pp. 58-65

L. Garbarino, *Martino Gamper*, "Klat", primavera 2010, pp. 90-105

Åbäke, *Le Avventure di Una Sedia*, "Rolling Stone", aprile 2010, pp. 132-139

E. Poli, *Martino Gamper*, "AND", aprile 2010, pp. 132-139

Åbäke, *The Compulsive New Adventures of M*, "Tar", 2010, pp. 137-152

s.a., *The Story Teller*, "360 Design", n. 1, 2010, pp. 136-143

C. Walsh, *Francis and Martino*, "b magazine", autunno - inverno 2009, n. 10, pp. 18-21

C. Morisset, *Martino Gamper Casse la Baraque*, "Architectural Digest", novembre 2009, pp. 70-72

M. Gamper & F. Upritchard, *Meeting of Minds – Martino puts five questions to Francis Upritchard*, "Modern Painters", ottobre 2009, pp. 78-79

E. King, *The Perfect Misfit*, "Kaleidoscope", marzo 2009, pp. 14-17

A. Rawsthorn, *Martino Gamper and the Art of Improvisation*, "The global edition of the New York Times", gennaio 2009, p. 8

s.a., *Der Designchirurg Martino Gamper*, "Qvest", aprile - maggio 2008, pp. 58-73

Åbäke, *I am still alive*, "Sugo", marzo 2008, pp. 113-119

H. Macdonald, *Wallpaper Awards – Best Alchemist*, "Wallpaper", febbraio 2008, p. 98

F. Picchi, *Gio Ponti Translated by Martino Gamper*, "Domus", febbraio 2008, pp. 153-159

s.a, *100 Sedie in Giorni e in 100 Modi di Martino Gamper*, "Abitare", febbraio 2008, pp. 101-109, 175

Åbäke, *I am Still Alive*, "Apartamento", Issue, 2008, n. 1, pp. 49-64

L. Choi, *The Object – 100 Chairs in 100 Days*, "IW", 2008, volume 66, pp. 178-185

s.a., *Se Gio lo Sapesse*, "AD", ottobre 2007, pp. 118-120

J. McGuirk, *100 Chairs in 100 Days*, "Icon", marzo 2007, pp. 7-11, 56-60

R. Arad, *Martino Gamper by Ron Arad*, "ArtReview", aprile 2006, p. 56

Åbäke, "So-En Fashion Magazine", marzo 2005, pp. 111-112

s.a., *The Furniture Designer*, "The London Magazine", gennaio 2004, p. 29

T. Blanchard, *New Faces*, "OM The Observer Magazine", dicembre 2003, p. 28

L. Bhaskaran, *Cutting Corners*, "Design Week", settembre 2003, p. 17

C. Broughton, *Sitting Pretty*, "Time Out", settembre 2003, p. 35

s.a., *Taking Stock*, "BluePrint", agosto 2003, p. 23

M. Tsutsumi, *Close Up London*, "Design News", autunno 2002, p. 11

J. Bell, *Room Service*, "Wallpaper", ottobre 2002, p. 151

s.a., *Young Guns Go For IT* , "The Guardian Space", 1 febbraio 2001, p. 3

s.a., *Strom – Berlin/Hamburg/Koln/London*, "Domus", dicembre 2000, p. 143

Pedro Reyes

Mostre personali selezionate Selected Solo Exhibitions

pUN: The Peoples United Nations, Second General Assembly,
Hammer Museum, Los Angeles 2015
The Permanent Revolution, Museo Jumex, Mexico City 2014
Connect the dots, Labor, Mexico City 2014
Sanatorium, Institute of Contemporary Arts, Miami 2014
pUN: The Peoples United Nations, First General Assembly,
Queens Museum, New York 2013
Os Terraqueos, Galeria Luisa Strina, São Paulo 2013
Pharmasphere, Boston Museum of Fine Arts, Boston 2013
Disarm, Lisson Gallery, London 2013
Baby Marx, Walker Art Center, Minneapolis 2011
Sanatorium, Stillspotting, Solomon R. Guggenheim Museum,
New York 2011
Pedro Reyes, CCA-Kitakyūshū, Kitakyūshū 2009
47 Undertakings, Bass Museum, Miami 2009
Caractères Mobiles, Yvon Lambert Gallery, Paris 2009
Conflict Resolution, San Francisco Art Institute,
San Francisco 2009
Principles of Social Topology, Yvon Lambert Gallery,
New York 2009
Ad usum: to be used, Carpenter Center, Harvard University,
Cambridge 2006
Pedro Reyes, Aspen Art Museum, Aspen 2006
Dream Digestor, Arnolfini, Bristol 2005
Nomenclatura Arquímica, Sala de Arte Público Siqueiros,
Public Art Salon, Mexico City 2002

Mostre collettive selezionate   Selected Group Exhibitions

Who represents the world?, Museum of the XXI Century,
Kanazawa 2015
First Architecture Biennial, Chicago 2015
Station to Station, Barbican Center, London 2015
Carnegie International, Pittsburgh 2013
In the Spirit of Utopia, Whitechapel Gallery, London 2013
Sharjah Biennial, Sharjah 2013
Liverpool Biennial, Liverpool 2012
Gwangju Biennial, Gwangju 2012
dOCUMENTA(13), Kassel 2012
Art Parcours, Art Basel, Basel 2012
Istanbul Biennial, Istanbul 2012
The Social Contract, STUK, Leuven 2012
Living as Form, Creative Time, New York 2011
Map Marathon, Serpentine Gallery, London 2010
On the Commons, Banff Centre, Alberta 2010
Biennial of the Americas, Denver 2010
In Lieu of Unity, Ballroom Marfa, Marfa 2010
Los de arriba y los de abajo, Sala de Arte Público
Siqueiros, Mexico City 2009
Bienal do Mercosul / Mercosul Biennial, Porto Alegre 2009
31º Panorama da arte brasileira, Museu de Arte Moderna
de São Paulo, São Paulo 2009
Auto. Sueño y materia, Laboral / CA2M, Gijón, Madrid 2009
Biennale de Lyon / Lyon Biennial, Lyon 2009
Yokohama Triennale, Yokohama 2008
Expected / Unexpected, Maison Rouge, Paris 2008
Prospect 1 Biennial, New Orleans 2008
Experiment Marathon II, Reykjavik Art Museum, Reykjavík 2008
The Tree: From the Sublime to the Social, Vancouver Art Gallery,
Vancouver 2008
Tlatelolco, The New Museum, New York 2008
Principio de Incertidumbre, Universal Forum of Cultures,
Monterrey 2007

Viva Mexico, Zacheta Gallery, Warsaw 2007
Experiment Marathon, Serpentine Gallery, London 2007
Viva la Muerte!, Kunsthalle Wien, Wien 2007
Everstill / Siempretodavía, Fundación Federico García Lorca,
Granada 2007
Escultura Social, Museum of Contemporary Art, Chicago 2007
Elephant Cemetery, Artists Space, New York 2007
Busan Biennale, Busan 2007
Downtime, Constructing Leisure, CCA Wattis Museum,
San Francisco 2006
Declaraciones, Centro de Arte Reina Sofia, Madrid 2005
*FarSites: Urban Crisis and Domestic Symptoms in Recent
Contemporary Art*, InSite, San Diego 2005
Braunschweig Parcours, Braunschweig 2005
Museum of Arts and Sciences, Mexico City 2005
Come Closer, Künstlerhaus Bethanien, Copenhagen 2005
Seattle Sculpture Park Project, Seattle Art Museum, Seattle 2004
The Air is Blue, Casa-Museo Luis Barragán, Mexico City 2004
The Structure of Survival, Biennale di Venezia, Venezia 2003
Echigo-Tsumari Art Triennale, Niigata 2003
To Be Political It Has to Look Nice, Apex Art, New York 2003
Interplay, The Moore Space, Miami 2002
Shanghai Biennale, Shanghai 2002
Thisplay, Fundación / Colección Jumex , Mexico City 2002
*Mexico City: An Exhibition about the Exchange Rates
of Bodies and Values*, MoMA PS1, New York
Kunst-Werke Institute for Contemporary Art, Berlin 2002
20 Million Mexicans Can't Be Wrong, South London Gallery,
London 2002
Alibis / Coartadas, Witte de With, Rotterdam 2002
Do It, Museo de Arte Carrillo Gil, Mexico City 2001
Action Videos by Latin American Artists, Artists Space,
New York 2000
The End of the History or the Beginning of the Future?,
Kunsthalle Wien, Wien 1989

Monografie / Cataloghi di mostre
Monographs / Exhibition Catalogues

J. L. Falconi (a cura di), *Ad Usum, To Be Used – Works by Pedro Reyes*, Harvard University Press, Cambridge 2015

Pedro Reyes, *The Permanent Revolution*, Museo y Colección Jumex, Mexico City 2015

Pedro Reyes, *Sanatorium Operations Manual*, Riding House, Geneva 2013

Testi di Pedro Reyes   Texts by Pedro Reyes

P. Reyes, *Alejandro Jodorowsky interviewed by Pedro Reyes*, "The Unthinkable Spring", Bidoun, estate 2009, p. 154

P. Reyes, *Las nuevas terapias grupales / The New Group Therapies*, Editorial Diamantina, Conaculta 2006

H.Ulrich Obrist, P. Reyes, F. Romero, *The Air is Blue Insights on Art & Architecture: Luis Barragan Revisited*, Trilice 2006

Articoli su Pedro Reyes   Articles on Pedro Reyes

C. Fresneda, *El mago que hace sonar las armas* [The Magician Who Makes Sounds with weapons], "El Mundo", 2 aprile 2013

s.a., *Palas por pistolas* [Shovels for Guns], "Reforma", 5 dicembre 2012

L. Davis, *Liverpool Biennial Artist Pedro Reyes on Melodrama and Other Games at FACT*, "Liverpool Daily Post", 30 agosto 2012, p. 30

H. Ulrich Obrist, Pedro Reyes, in Charles Arsene-Henry, Shuman Basar, Karen Marta (a cura di), *Hans Ulrich Obrist: Interviews*, Edizioni Charta, vol. 2, Milano 2010, pp. 784-795

C. Rattemayer, *Pedro Reyes's Utopias*, "Atlantica", n. 46, autunno 2008

L. Harris, *Pedro Reyes*, "Artforum", marzo 2007, pp. 323-324

T. Cuevas, *Pedro Reyes*, "Bomb", inverno 2006, vol. 94, p. 25

General Bibliography General Bibliography

K. Johnson, *When Life Becomes Art*, "The New York Times",
30 Settembre 2011, p. C27

C. Salazar, *Art Exhibit Offers 'Urban Therapy' for Nyers*,
"The Whashington Times", 3 giugno 2011, p. 14

E. Kerr, *Marx and Smith Ponder Economics at the Walker*,
"Minnesota Public Radio" 11 agosto 2011

M. Zieger, *City Sickness*, "Domus", 13 giugno 2011, p. 100

A. Burtscher, J. Wielander, (a cura di), *Visible: where art leaves
its own field and becomes visible as part of something else*,
Sternberg Press, New York 2010, p. 32

K. West, *Poli Sci 101*, "W Magazine" (The Art Issue),
novembre 2010, p. 96

R. De la Villa, *El Sueno en el Desguace. Auto Sueno y Material*
[The dream in the junkyard. Self sleep and material], "El Mundo",
maggio 2009, p. 37

J. Hodson, *Using Guns to Grow Life*, "Metro Vancouver",
4 aprile 2008, p. 17

L. Dykk, *VAG Takes Dig at War by Planting a Tree*, "Vancouver Sun",
3 aprile 2008, p. 12

A. Herrera, *El Conexionista* [The Connectionist], "Poder
y Negocios", marzo 2007, p. 71

M. De la Torre, *Ad Usum: To be Used*, "Código 06140",
febbraio - marzo 2007, p. 30

J. Rodrigues Wildholm, *Escultura Social: A New Generation
of Art from Mexico City*, Yale University Press, New Haven 2007

U. Grosenick, *Art Now*, Taschen, vol. 2, Köln 2005

C. Medina, *Venecia: paradojas del Pluralismo*
[Venice: Paradoxes of Pluralism], "Reforma", giugno 2004

E. A. Hernández, *Crean en Alemania Ruta de la Amistad* [A route
of friendship is created in Germany], "Reforma", maggio 2004

J. Silver, *ICA's 'Mexico' Reveals a Land of Contrasts*,
"Boston Herald", 30 gennaio 2004

FONDAZIONE MAXXI
Museo nazionale delle arti del XXI secolo

Presidente   *President*
Giovanna Melandri

Consiglio di amministrazione   *Admnistrative Board*
Beatrice Trussardi
Monique Veaute

Collegio dei revisori dei conti   *Board of Auditors*
Claudia Colaiacomo
Andrea Parenti
Antonio Venturini

Direttore artistico   *Artistic Director*
Hou Hanru

Segretario generale   *Executive Director*
Francesco Spano

Ufficio di presidenza e segreteria generale
Executive Office of the President
and General Secretariat
Laura Gabellone
(Capo della segreteria   *Head of the Secretariat*)
Federica Cipullo
Cecilia Festa
Chiara Sbocchia
Beatrice Iori
(Assistente del Presidente   *Assistant to the President*)
Donatella Saroli
(Assistente del Direttore artistico e Progetti Speciali
Assistant to the Artistic Director and Special Projects)

Ufficio contabilità, amministrazione e gestione
del personale   *Accounts, Administration*
and Finance Office
Rossana Samaritani (Responsabile   *Head*)
Angela Cherubini
Francesca Civitenga

Ufficio tecnico   *Technical Office*
Elisabetta Virdia (Coordinamento   *Coordination*)
Cristina Andreassi
Paola Mastracci
Mario Schiano
Claudio Tamburrini

Qualità dei servizi per il pubblico
Public Service Quality
Laura Neto

DIPARTIMENTO MAXXI ARCHITETTURA
Museo nazionale di architettura

Direttore   *Director*
Margherita Guccione

Senior Curator
Progetti scientifici per l'architettura
Architecture Research Projects
Pippo Ciorra

Assistente del direttore   *Assistant to the Director*
Elena Pelosi

Centro archivi di architettura
Architecture Archives Centre
Carla Zhara Buda (Coordinamento   *Coordination*)
Elena Tinacci
Viviana Vignoli

Ufficio collezione, conservazione e registrar
Office of Collection, Conservation and Registrar
Laura Felci
Collezioni architettura e fotografia di architettura
Architecture Collections and Architecture Photography
Luisa De Marinis (Conservazione   *Conservation*)
Monica Pignatti Morano (Registrar)
Simona Antonacci

Assistente di ricerca e produzione
Research and Production Assistant
Alessandra Spagnoli

DIPARTIMENTO MAXXI ARTE
Museo nazionale di arte contemporanea

Direttore   *Director*
Anna Mattirolo

Assistente del Direttore   *Assistant to the Director*
Ilenia D'Ascoli

Ufficio collezione, conservazione e registrar
Office of Collection, Conservation and Registrar
Alessandra Barbuto (Responsabile   *Head*)
Simona Brunetti (Registrar)
Roberta Magagnini (Registrar)
Fabiana Cangià (Restauratore   *Restorer*)
Francesca Graziosi (Restauratore   *Restorer*)

UFFICIO CURATORIALE E ALLESTIMENTI
CURATORIAL AND EXHIBITION OFFICE

Responsabile   *Head*
Monia Trombetta

Team curatoriale   *Curatorial Team*
Pippo Ciorra
(Senior Curator Architettura, Progetti scientifici
per l'architettura   *Architecture Research Projects*)
Giulia Ferracci
Luigia Lonardelli
Elena Motisi
Anne Palopoli

Chiara Calabresi
(Assistente di produzione   *Production Assistant*)
Simone Ciglia
(Assistente di ricerca   *Research Assistant*)
Eleonora Rebiscini
(Assistente curatoriale   *Curatorial Assistant*)

Architetti   *Exhibition Designers*
Silvia La Pergola
Dolores Lettieri
Claudia Reale
Benedetto Turcano
Valentina Zappatore

DIPARTIMENTO RICERCA, EDUCAZIONE
E FORMAZIONE   *DEPARTMENT OF RESEARCH,*
EDUCATION AND TRAINING

Responsabile   *Head*
Alessio Rosati
Assistenza   *Assistance*
Viola Porfirio

Ricerca   *Research*
Flavia De Sanctis Mangelli
(Servizio Editoria   *Publishing Service*)
Irene De Vico Fallani
(Programmi di approfondimento   *Research Programs*)
Giulia Pedace
(Servizio iconografico   *Iconographic Service*)

Educazione   *Education*
Sofia Bilotta (Coordinamento   *Coordination*)
Marta Morelli
Antonella Muzi

Formazione   *Training*
Elena Pelosi
Emanuela Scotto D'Antuono (Biblioteca   *Library*)
Stefania Vannini (*Public Engagement*)

DIPARTIMENTO SVILUPPO
DEPARTMENT OF DEVELOPMENT

Acting Head
Giovanna Melandri

Ufficio stampa, comunicazione e web
Press Office, Communication and Web
Beatrice Fabbretti
(Capo ufficio stampa   *Head of Press Office*)
Nicola Sapio
(Coordinamento comunicazione
Coordination of Communication)
Annalisa Inzana
Prisca Cupellini
Chiara Capponi
Cecilia Fiorenza
Angela Cinicolo

Eventi   *Events*
Paolo Le Grazie (Coordinamento   *Coordination*)
Andrea Borsetti
Andree Cristini

Marketing, sviluppo e membership
Marketing, Development and Membership
Maria Carolina Profilo
(Coordinamento   *Coordination*)
Alessandro Bianchi
Federico Borzelli
Annalisa Cicerchia
Giovanni Petrella
Maria Giorgia Romiti
Erika Salomon

AMICI DEL MAXXI
Presidente   *President*
Anna d'Amelio Carbone

Donatori   *Donors*

Platino   *Platinum*
Hormoz Vasfi

Oro   *Gold*
Mariolina Bassetti
Enzo Benigni Donatore Fondatore   *Donor Founder*
Annibale Berlingieri
Donatore Fondatore   *Donor Founder*
Blain | Southern International Friend
Renata Boccanelli
Beatrice Bordone Bulgari
Donatello Cecchini
Donatore Fondatore   *Donor Founder*
Alessandra Cerasi Barillari
Donatore Fondatore   *Donor Founder*
Pilar Crespi Robert
Donatore Fondatore   *Donor Founder*
Roberta d'Amelio Poss di Verbania
Anna d'Amelio Carbone
Costanza di Canossa d'Amelio
Erminia di Biase
Donatore Fondatore   *Donor Founder*
Yohan Benjamin Fadlun
Nicoletta Fiorucci
Mirella Petteni Haggiag
Filippo Massimo Lancellotti
Barbara Maccaferri Abbondanza
Donatore Fondatore   *Donor Founder*
Giovanni Malagò
Pepi Marchetti Franchi
Maria Fabiana Marenghi Vaselli
Matteo Marenghi Vaselli
Patrizia Memmo
Daniela Memmo d'Amelio
Vincenzo Morichini
Donatore Fondatore   *Donor Founder*
Camilla Nesbitt
Donatore Fondatore   *Donor Founder*
Noemia Osorio d'Amico
Donatore Fondatore   *Donor Founder*
Laudomia Pucci
Antonella Romiti
Cesare Romiti
Fabio Salini
Isabella Seragnoli
Massimo Sterpi
Donatore Fondatore   *Donor Founder*
Maria Luisa Trussardi Gavazzeni
Ilaria Uzielli
Roberto E. Wirth

Argento   *Silver*
Romano Ciarallo
Donatore Fondatore   *Donor Founder*
Giuliana Ferrua Migliardi
Marion Franchetti
Leonardo Giangreco International Friend
Annette Gilka
Polissena Guidi di Bagno
Roberto Lombardi
Isabella Meroni Parodi Delfino
Sheila Nemazee International Friend
Diamara Parodi Delfino
Soledad Twombly
Giacinta e Hendrik Van Riel International Friends

Giovani   *Young*
Cristina Brizzolari
Anna Lombardi
Eugenio Lombardi

Donatori Internazionali   *International Donors*
Granny B&P Foundation / Brian S. Snyder

Membri Onorari   *Honorary Members*
Piero Sartogo
Gabriella Buontempo

Si ringraziano tutti i donatori che hanno scelto
di rimanere anonimi
*Thanks to all supporters who have chosen
to remain anonymous*

Soci   *Founding Members*

Con il sostegno di   *Supported by*

Partner MAXXI Architettura

TRANSFORMERS

Roma, MAXXI
Museo nazionale delle arti del XXI secolo
National Museum of XXI Century Arts
10 novembre 2015 - 28 marzo 2016
10 November 2015 - 28 March 2016

A cura di   *curated by*
Hou Hanru e *and* **Anne Palopoli**

Progetto di allestimento e coordinamento tecnico
Exhibition Design and Technical Coordination
Silvia La Pergola

Conservazione e registrar
Conservation and registrar
Alessandra Barbuto
Roberta Magagnini
Francesca Graziosi

Management Intern
Camille Guibaud

Programmi di approfondimento
Research Programs
Irene De Vico Fallani

Coordinamento documentazione fotografica
e video   *Coordination photographic
documentation and video*
Giulia Pedace

Coordinamento illuminotecnico
Lighting Coordination
Paola Mastracci

Accessibilità e sicurezza
Accessibility and Safety
Elisabetta Virdia

Coordinamento produzione grafica
Graphic Coordination
Benedetto Turcano

Grafica   *Graphic Design*
Sara Annunziata

Editing testi in mostra   *Text Editing*
Antonella Muzi

Traduzioni   *Translations*
Paul Blackmore
Simon Turner

Assicurazione   *Insurance*
Willis Italia S.p.a.
Blackwall Green

Allestimento   *Exhibition installation*
Fn compositi
Handle
Manga coop
Na. Gest
Sater4show
Solar solution

Guanti bianchi   *Handling*
Bastàrt

Trasporti   *Transportation*
Apice Roma s.r.l.
Butterfly Transport s.r.l.
Expotrans s.r.l.

Post Forma è stata realizzata grazie
al supporto della **Galleria Franco Noero**
*Post Forma has been made possible thanks
to* **Galleria Franco Noero**

Hubble Bubble e *Life Life* di Choi Jeong Hwa
sono state realizzate con la collaborazione di
Hubble Bubble and Life Life *by Choi Jeong Hwa
have been realized with the collaboration of*
Federica Di Carlo con *with* **Maria Grazia
Camerota, Marina Andrea Colizzi, Catalina
Enciu, Elisa Fabrizi, Kseniia Prokofeva,
Valeria Saymova, Lucia Signore, Massimiliano
Timo** (Sapienza Università di Roma),
**Federica Gaudioso, Saba Javidaneh, Valentina
Lucarelli, Meletios Meletiou, Andrea Nicolella,
Antonia Parente, Anna Shuval Sergeeva,
Simona Soccorsi** (Accademia di Belle Arti
di Roma)

Il concerto *Disarm* è stato realizzato
in collaborazione con
*Disarm live concert has been realized
with the collaboration of*

Simone Pappalardo   Conduction,
                        Live electronics
Filippo Fattorini   Violino   *Violin*
Massimo Ceccarelli   Basso   *Bass*
Pietro Pompei   Glockenspiel
                    Bastone della pioggia
                    Rainstick
Gianni Trovalusci   Flauto di Pan   *Pan-pipes*

Ringraziamenti   *Acknowledgements*
Domitilla Dardi
Han Ka Young
Kim Dai Kwang
Kim Hyunchul
Guillaume Viaud
Gemma Holt
Andrea Leal Montemayor
Carlos Sanchez

Con il patrocinio di   *Under the patronage of*

AMERICAN ACADEMY IN ROME

Si ringrazia per il contributo tecnico
For its Technical Contribution we wish to thank

TRANSFORMERS

A cura di   *Edited by*
Hou Hanru, **Anne Palopoli**

Coordinamento editoriale
Editorial Coordination
Flavia De Sanctis Mangelli

Book design
Pietro Corraini Studio

© 2015, MAXXI - Museo nazionale delle arti
del XXI secolo   *National Museum of XXI
Century Arts*, Roma

© 2015 Maurizio Corraini s.r.l.
Tutti i diritti riservati alla Maurizio Corraini s.r.l.
All rights reserved by Maurizio Corraini s.r.l.

Ricerca iconografica
Picture Research
Giulia Pedace

Assistenza   *Assistance*
Rosamaria Sepe

Traduzioni   *Translations*
Teresa Albanese, **Francesca Cantinotti**,
Sylvia Adrian Notini

© 2015, MAXXI - Museo nazionale delle arti
del XXI secolo   *National Museum of XXI
Century Arts*, Roma, Corraini, Mantova

© I fotografi   *The photographers*

© Domitilla Dardi, Hou Hanru, Emily King,
Giovanna Melandri, Anne Palopoli, Angela Rui,
Deyan Sudjic, Pelin Tan, Hans Tuzzi

© Choi Jeong Hwa, Didier Fiuza Faustino -
ADAGP, Martino Gamper, Pedro Reyes

© Didier Fiuza Faustino, by SIAE 2015

© FLC, by SIAE 2015

© Gerrit Rietveld, by SIAE 2015

Nessuna parte di questo libro può essere riprodotta
o trasmessa in nessuna forma e con nessun mezzo
(elettronico o meccanico, inclusi la fotocopia,
la registrazione od ogni altro mezzo di ripresa delle
informazioni) senza il permesso scritto dell'editore.
*No part of this book may be reproduced or
transmitted in any form or by any means (electronic
or mechanical, including photocopying, recording
or any information retrieval system) without
permission in writing from the publisher.*

L'editore è a disposizione degli eventuali
aventi diritto per le fonti non individuate.
*The publisher will be at complete disposal to whom
might be related to the unidentified sources printed
in this book.*

Stampato in Italia da   *Printed in Italy by*
CTS Grafica s.r.l., Città di Castello (PG)
ottobre   *October* 2015

Maurizio Corraini s.r.l.
Via Ippolito Nievo, 7/A
46100 Mantova
Tel. 0039 0376 322753
Fax 0039 0376 365566
e-mail: info@corraini.com
www.corraini.com